CARNIVOROUS PLANTS
HANDBOOK

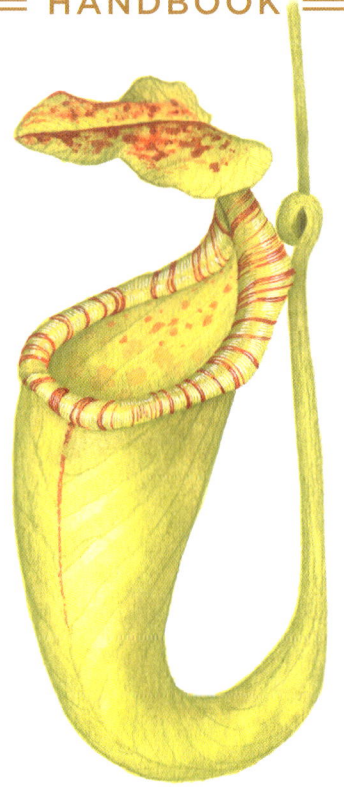

ネペンテスとその仲間たち
食虫植物ハンドブック

土居寛文（兵庫県立フラワーセンター）

落とし穴をしかけたり、甘い蜜で誘ったり、俊敏な動きで挟み込んだり。
虫を捕まえて養分にするために進化した「食虫植物」。
およそ植物とは思えない驚きの生態をしています。
その姿も、葉を筒状にしたり、葉の先に大きな袋を付けたり、
ネバネバの粘液を身に付けたりと、
とにかく個性的なフォルムで楽しませてくれます。

食虫植物たちはとても人気があり、一部の種は園芸店にもよく並ぶことがあります。
しかし、独特の生態をしているため、育て方にはちょっとしたコツが必要。
これまで、育て始めてはみたものの、失敗してしまった、
という人も多いのではないでしょうか？
本書では、魅力的な食虫植物の様々な仲間たちを紹介するとともに、
あまりよく知られていない食虫植物の育て方も丁寧に紹介しています。

さぁ、あなたも摩訶不思議な食虫植物の世界へ、一歩足を踏み出してみましょう。

Contents

Pictorial Book

食虫植物図鑑	007	Pictorial Book
サラセニア属	008	Sarracenia
ネペンテス属	037	Nepenthes
モウセンゴケ属	087	Drosera
ハエトリソウ属	095	Dionaea
ムシトリスミレ属	096	Pinguicula
その他	100	Othets

How to

食虫植物の育て方	104	How To
サラセニア属	105	Sarracenia
ネペンテス属	109	Nepenthes
ハエトリソウ属・モウセンゴケ属	115	Dionaea & Drosera
ムシトリスミレ属	119	Pinguicula
食虫植物の寄せ植え	121	Group Planting
食虫植物FAQ	122	FAQ

Column

食虫植物の自生地	036	Habitats
食虫植物はいかにして虫を捕まえるか？	086	Traps
高地性の食虫植物たち	102	Highland Nepenthes
食虫植物の巨人たち	124	Legends

Guide

もっと食虫植物を楽しむために	125	Spot & Book Guide
索引	126	Index

第1章 食虫植物図鑑

食虫植物は12科20属、約500種にもおよぶ植物群で、葉や茎、地下部に独特の形やしくみの捕虫器官を持っています。虫などを自ら持つ消化酵素や共生しているバクテリアによって消化・分解し、光合成だけでは足りない栄養分を補います。ここではそんな食虫植物の中でも代表的な「サラセニア属」、「ネペンテス属」、「モウセンゴケ属」、「ムシトリスミレ属」を中心に261種を厳選して紹介します。

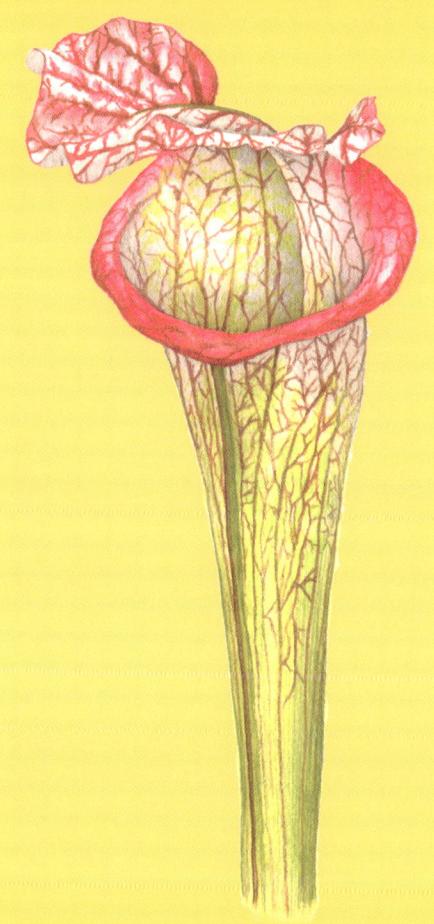

※自然交雑種は原種の項目に収録。

アイコンについて

栽培難易度アイコン
その種の栽培難易度を示す。

水やりアイコン
その種がどの程度
水を好むかの目安。
成長期の水やり頻度を
基準としている。

日照アイコン
その種がどの程度
日照を好むかの目安。

★　　…育てやすい
★★　…やや難しい
★★★…難しい

◊　　…乾けば与える
◊◊　…週に1回
◊◊◊…週に2回
◊◊◊◊…週に3回

◎　　…明るい日陰
◎◎　…50％の遮光
◎◎◎…直射またはそれに近い光

学名について

(例) *Sarracenia flava var. maxima*
　　　　属名　　　　種　　　　変種

属名 ……………… その植物の属名。
種小名 …………… 属名と組み合わせてその植物の種を表す。
亜種 (ssp.) ……… 種の下位区分。種として独立するほどではないクラス。
変種 (var.) ……… 亜種の下のクラス。主に分布地域の変異など。
品種 (form / forma) …… 変種の下のクラス。花色の差など。
sp. ………………… まだ学名が付けられていない未記載種。
' ' ………………… 園芸目的のために人工的に作られた園芸品種。
　　　　　　　　　または、原産地名や通称などで呼ばれるものも ' ' にて示した。
( ) ………………… 導入先、導入者、およびタイプなど。
×--- ……………… 自然交雑種の通称名は×に続けた。
---×--- …………… 自然交雑種で通称名のないものは親の名前を表記。

Sarracenia

サラセニア属

北アメリカ原産、サラセニア科の食虫植物です。原種は8種類ですが、多くのバラエティや自然交雑種、人工交配種があります。瓶子体と呼ばれる筒状の葉に虫を落としこんで捕らえ、消化酵素やバクテリア等によって捕らえた虫を分解し、養分を吸収します。日本の環境と似た地域に生息している植物なので育てやすく、年中屋外管理が可能です。

アラータ オールレッド
Sarracenia alata 'All red' (Desoto)
筒状の葉の入り口内部に赤い模様が入るのが特徴の種。
★◊◎◎◎

SARRACENIA

アラータ オールドタイプ
Sarracenia alata 'Old type'
古くからの種類でフタの内側に赤線が入るタイプ。
★ ◊ ◉ ◉ ◉

アラータ ヘヴィリィ ベインド
Sarracenia alata 'Heavily veined'
筒の上に付くフタが長くなる美しい個体。
★★ ◊ ◉ ◉ ◉

アラータ バーノンパリッシュ
Sarracenia alata 'Vernon Parish'
古くから栽培されているオールグリーン。
★◊◎◎

アラータ プベッセンス
Sarracenia alata forma *pubescens*
捕虫葉全体に微毛が生える。
★◊◎◎

SARRACENIA

フラバ フラバ
Sarracenia flava var. *flava*
フタは円型で株立ちが良い。
★★◊◉◉◉

フラバ オールドタイプ
Sarracenia flava 'Old type'
30年以上前よりのタイプ。細めで出葉が多い。
★◊◉◉◉

フラバ オールレッド ウィスツーバ
Sarracenia flava 'All red' (Wistuba)
海外から導入された赤みの強い美しい系統。
★★◊◉◉◉

SARRACENIA

フラバ マキシマ
Sarracenia flava var. *maxima*
大型で模様は入らない。
★★ ◊ ◉ ◉ ◎

フラバ アトロプルプレア
Sarracenia flava var. *atropurpurea*
全体が赤くなる美しい系統。栽培は難しい。
★★★ ◊ ◉ ◉ ◎

フラバ バーガンディ オールドタイプ
Sarracenia flava 'Burgundy old type'
古くからのタイプ。細めで赤味がある。
★★ ◊ ◉ ◉ ◎

Sarracenia

SARRACENIA

フラバ ルブリコルポラ
Sarracenia flava var. *rubricorpora*
赤と黄のコントラストが美しいタイプ。
★★ ◊ ◉◉◉

Sarracenia

SARRACENIA

フラバ ルゲリー
Sarracenia flava var. *rugelii*
特徴のある内斑が入る。
★★ ◊ ◉ ◉ ◉

フラバ オルナタ
Sarracenia flava var. *ornata*
筒に赤線が目立つタイプ。大型である。
★ ◊ ◉ ◉ ◉

Sarracenia

レウコフィラ
Sarracenia leucophylla
レウコフィラの基本型のひとつ。
★☌◉◉◉

レウコフィラ イセローズ
Sarracenia leucophylla 'Ise rose'
八重咲きするタイプのレウコフィラ。
★☌◉◉◉

SARRACENIA

レウコフィラ イセホワイト
Sarracenia leucophylla 'Ise white'
古くから栽培されていたタイプ。
★☁◉◉◉

レウコフィラ ターノック
Sarracenia leucophylla 'Turnock' (Hirose)
アメリカで普及しているタイプ。
★☁◉◉◉

SARRACENIA

レウコフィラ オールドタイプ
Sarracenia leucophylla 'Old type'
30年以上前より栽培されているタイプ。
★ ◊ ◎ ◎ ◎

レウコフィラ イエローフラワー
Sarracenia leucophylla 'Yellow flower'
約30年前に種子にて導入したタイプ。花は黄色い。
★★ ◊ ◎ ◎ ◎

ミノール
Sarracenia minor
基本型となるタイプ。小型で花弁は丸みを帯びる。
★★◊◎◎

ミノール インターメディエイトタイプ
Sarracenia minor 'Intermediate type'
基本種に近いがやや大型となる。
★★💧◎◎◎

SARRACENIA

ミノール ジャイアント
Sarracenia minor 'Giant'
近年、海外より多く導入されているタイプ。花弁が長い。
★★ ◐ ◎ ◎

ミノール グリーン
Sarracenia minor 'Green'
緑色の強い個体。やや大型になる。
★★ ◐ ◎ ◎

オレオフィラ
Sarracenia oreophila
春先だけ捕虫葉が出るが、その後は剣葉だけになるのが特徴。右は花弁が剣状となる様子。
★★ ◐ ◎ ◎

Sarracenia

プシタシナ
Sarracenia psittacina
丸みを帯びた先端の内側に筒の入り口がある。
★◊◎◎◎

プルプレア プルプレア
Sarracenia purpurea ssp. *purpurea*
最も普及したとされる系統で分布範囲が広く、変異も多い。
★◊◎◎◎

プルプレア ヘテロフィラ
Sarracenia purpurea ssp. *purpurea* forma *heterophylla*
全体がグリーンになる。
★★◊◎◎

プルプレア ベノーサ
Sarracenia purpurea ssp. *venosa*
全体が赤くなる古くからのタイプ。
★ ◊ ◎ ◉

プルプレア ベノーサ実生系
Sarracenia purpurea ssp. *venosa* 'Seedling'
ベノーサの実生選抜系。
★ ◊ ◎ ◉

プルプレア ベノーサ バーキー
Sarracenia purpurea ssp. *venosa* var. *burkii*
花は薄ピンクで、葉全体に軟毛が生える。
★★ ◊ ◎ ◉

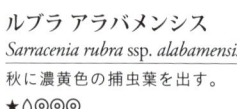

ルブラ アラバメンシス
Sarracenia rubra ssp. *alabamensis*
秋に濃黄色の捕虫葉を出す。
★◊◎◎◎

ルブラ ガルフェンシス
Sarracenia rubra ssp. *gulfensis*
大型になり多数の葉を出すタイプ。
★◊◎◎◎

ルブラ ルブラ
Sarracenia rubra ssp. *rubra*
小型で古くからのタイプ。暑さに弱い傾向がある。
★★◊◎◎◎

ルブラ ウェリー
Sarracenia rubra ssp. *wherryi*
近年、海外より導入されたタイプ。葉全体に軟毛が生える。
★★💧◎◎◎

ルブラ アルバ
Sarracenia rubra var. *alba*
オールグリーンとなるタイプ。
★💧◎◎◎

ルブラ ジャイアント
Sarracenia rubra 'Giant'
大型で先端部が赤くなるタイプ。
★💧◎◎◎

Sarracenia Hybrid

サラセニア ハイブリッド

アラータ×フラバ
Sarracenia 'alata × flava'
アラータ×フラバと思われるタイプ。古くから栽培される交配種。
★☆◎◎◎

SARRACENIA HYBRID

カテスベイ ドイ #1
Sarracenia 'Catesbaei Doi #1'
筆者作出のプルプレア×フラバの交配種。
★☆◎◎◎

カテスベイ ドイ #2
Sarracenia 'Catesbaei Doi #2'
カテスベイドイの赤が濃くなるタイプ。
★★☆◎◎

カテスベイ グリーン
Sarracenia 'Catesbaei green'
プルプレア×フラバの、フラバの血統が強いタイプ。
★☆◎◎◎

エクセレンス
Sarracenia 'Excellence'
レウコフィラの特徴が色濃いタイプ。
★☆◎◎◎

SARRACENIA HYBRID

エクセレンス系交配種
Sarracenia 'Excellence' × unknown
葉模様が鮮やかに出るタイプ。
★★◌◉◉◉

薄彩
Sarracenia 'Hakusai'
筆者作出の親不明交配種の実生。
★◌◉◉◉

紅アゲハ
Sarracenia 'Beniageha'
筆者作出の親不明交配種の実生。
★◌◉◉◉

ねひめ
Sarracenia 'Nehime'
筆者作出の親不明交配種の実生。
★★◌◉◉◉

SARRACENIA HYBRID

雷電
Sarracenia 'Raiden'
巨大種に改る。親は伊勢花しょうぶ園からの系統。
★☆◎◎

薄化粧
Sarracenia 'Usugesho'
内部に赤い模様が入る。
★☆◎◎

いいもり
Sarracenia 'Iimori'
カテスベイグリーンの実生選抜。フラバに似る。
★★☆◎◎

SARRACENIA HYBRID

朝ぼらけ
Sarracenia 'Asaborake'
カテスベイに近いタイプ。
★◊◎◎◎

日の丸
Sarracenia 'Hinomaru'
筆者作出の交配種。日の丸のようなリップが際立つ。
★★◊◎◎◎

イセタイプ
Sarracenia 'Ise hybrid'
フタに鮮やかな模様が入る。伊勢花しょうぶ園からの系統。
★◊◎◎◎

SARRACENIA HYBRID

京鹿の子
Sarracenia 'Kyokanoko'
古くから栽培。子鹿のような斑点が特徴。
★★💧◎◎◎

京大錦
Sarracenia 'Kyodainishiki'
京都大学農学部古曽部農場で作出された品種。
★★💧◎◎◎

レウコフィラ系交配種
Sarracenia 'leucophylla × courtii'
レウコフィラ×コーティと思われる交配種。
★★💧◎◎◎

ミノール×レウコフィラ
Sarracenia 'minor × leucophylla'
両種の特徴が良く出た交配種。
★★💧◎◎◎

SARRACENIA HYBRID

ミナータ
Sarracenia 'Minata'
ミノール×アラータの交配種。
★◊◎◎

モーレイ
Sarracenia 'Moorei'
フラバとレウコフィラの交配種。大型種だが倒れづらく美しい。
★◊◎◎

プシタシナ×ルブラ
Sarracenia 'psittacina × rubra'
ちょうど両種の中間的な特徴が出る交配種。
★◊◎◎

Sarracenia

SARRACENIA HYBRID

サラダガール #1
Sarracenia 'Salad girl #1'
レタスのように膨らむ親不明の実生系交配種。
★★💧◎◎◎

サラダガール #2
Sarracenia 'Salad girl #2'
サラダガールの赤い模様の入らないタイプ。
★★💧◎◎◎

オールド交配種 #1
Sarracenia 'Unknown old hybrid #1'
かなり古い親不明交配種。2～3種混ざっていると思われる。
★💧◎◎◎

オールド交配種 #2
Sarracenia 'Unknown old hybrid #2'
かなり古い親不明交配種。プルプレア系。
★💧◎◎◎

SARRACENIA HYBRID

立浪
Sarracenia 'Tatsunami'
国内作出の名品と言われる交配種。
★★◊◉◉

Sarracenia

写真提供／田辺直樹、政田具子、林 昌宏

食虫植物の自生地
HABITATS

世界中に約600種ほどの食虫植物がいると言われます。オーストラリア、東南アジア、北米、南米、アフリカなどが主な自生地で、鬱蒼とした森林の中や湿地帯などに生息しています。また、日本も自生地のひとつであり、モウセンゴケやムシトリスミレなどの自生地が各地にあります。自生地の様子を知ることは、その植物を育てる上での大きなヒントになります。

ボルネオ バリオ　*N. veitchii*

オーストラリア ケープヨーク半島
N. tenax

アメリカ ノースカロライナ
S. flava

アメリカ ノースカロライナ
Dionaea muscipula

栃木県 渡良瀬遊水地
D. indica

三重県 飯高
P. macroceras

千葉県 茂原
D. spatulata

Column

Nepenthes

ネペンテス属

ネペンテス属。和名ではウツボカズラ属とも。ボルネオを中心とした熱帯アジアに約100種類が知られます。葉の先から延びた蔓に捕虫袋を形成し虫を落とし込んで捕獲。袋の底には消化酵素の混ざった液体がたまっており、虫を分解。養分をこの袋で吸収します。袋の形状は、茎の上部と地上に近い部分とで形状が異なるものもあり、そうした種は両方の袋の形状を紹介しています。また、雄株と雌株が存在する雌雄異体でもあります。雌雄で形状の差はほとんどありません。

アラータ
Nepenthes alata
和名ヒョウタンウツボカズラとも呼ばれる。
★♠◍◎

アラータ グリーン ルソン
Nepenthes alata 'Green Luzon'
ルソン島北部の山岳地帯に生息するタイプ。袋はやや小型。
★★◊◊◊◎◎

アラータ ヴァリエガタ
Nepenthes alata 'Variegata'
枝変わりの斑入種。生育はスローで気難しい。
★★◊◊◊◎◎

アラータ ルソン
Nepenthes alata 'Luzon'
古くから栽培されているタイプ。赤みが強く美しい。
★★◊◎◎

アラータ ミンダナオ
Nepenthes alata 'Mindanao'
袋入り口の襟にストライプが入る。自然交雑種かもしれない。
★★◊◎◎

アルボマギナタ
Nepenthes albomarginata
基本型となるタイプ。
★◊◉◉

アルボマギナタ レッド
Nepenthes albomarginata 'Red'
葉、袋ともに真っ赤になるタイプ。
★◊◉◉

アルボマギナタ グリーン
Nepenthes albomarginata 'Green'
古くから存在するタイプ。葉、袋ともに銀白色となる。
★★★◊◉◉

アルボマギナタ ダーク
Nepenthes albomarginata 'Dark'(Tanabe)
蔓が短く黒に近い捕虫袋を付ける。
★★◊◎◉

アンプラリア オールレッド
Nepenthes ampullaria 'All red'(Exotica)
赤みの濃い袋に赤斑点が入る海外からの導入タイプ。
★★★◊◊◊◎◉

アルボマギナタ クチン バウ
Nepenthes albomarginata 'Kuching Bau' (Yamamoto)
基本種とはかなり葉や袋の形状が異なる珍しい種。
★★◊◎◉

アンプラリア レッド
Nepenthes ampullaria 'Red' (Ball-shaped)
完全な球型に近い袋を付けるタイプ。
★★★◊◊◊◎◉

アンプラリア レッド オールドタイプ
Nepenthes ampullaria 'Red' (Old type)
現地から導入された古くから存在するタイプ。
★★★♦♦♦◎◎

NEPENTHES

アンプラリア トリカラー #1
Nepenthes ampullaria 'Tricolor #1'
赤、茶、黄の3色のコントラストが出るタイプ。

アンプラリア トリカラー #2
Nepenthes ampullaria 'Tricolor #2' (Yamamoto)
実生選抜の赤みの強いタイプ。

アンプラリア グリーン イリアンジャヤ
Nepenthes ampullaria 'Green Irian Jaya'
硬質な質感を持つ袋を付けるタイプ。

アンプラリア ホットリップ
Nepenthes ampullaria 'Hotlip'
現地より導入された株で、入り口だけが赤くなるタイプ。

NEPENTHES

アンブラリア ウイリアムスレッド
Nepenthes ampullaria 'Williams red'
すべてが真っ赤になるタイプ。生育は遅め。
★★★ ◊ ◎ ◎

アンブラリア シンガポール
Nepenthes ampullaria 'Singapore'
袋付きが良く、生育も早いタイプ。
★★ ◊◊◊ ◎ ◎

アンプラリア クチンダーク
Nepenthes ampullaria var. *vittata* 'Kitchine dark'
黒に近いコンパクタタイプ。産賣は青。
★★★◊◎◉

アンプラリア ヴィゴール
Nepenthes ampullaria var. *vittata* 'Vigor'
現地から導入されたとされるタイプ。袋は太く大きめ。
★★◊◎◉

アンプラリア スマトラ グリーン
Nepenthes ampullaria 'Sumatra green'
スマトラ産の長めの袋で、白に近い緑色になる種。
★★◊◎◉

ベリー×メリリアナ
Nepenthes bellii × merrilliana
ベリーとメリリアナの自然交雑種と思われる。
★★♦♦♦◎◎

ビカルカラタ
Nepenthes bicalcarata
フタの付け根にキバを持つ独特の風貌の種類。袋は固い。
★★♦♦♦◎◎

NEPENTHES

ビカルカラタ×アンプラリア
Nepenthes bicalcarata × ampullaria (Natural hybrid)
わずかにキバがある自然交雑種。
★★◯◎◎

ブルケイ
Nepenthes burkei
ベントリコーサに近縁の種。ミンドロ島原産とされる。
★★★◉◉◉◎◎

パラメンシス
Nepenthes baramensis
昔はラフレシアナと呼ばれた。細い袋が特徴。
★★◯◎◎

コペランディ
Nepenthes copelandii
フィリピン原産の高山性種。
★★★◯◎◎

NEPENTHES

ディスティラトリア
Nepenthes distillatoria
セイロン島の固有種。柔らかい袋を付ける。
★★★◍◍◍◎◎

クリペアタ
Nepenthes clipeata
葉先ではなく裏側の中心から蔓を伸ばして袋を付ける。
★★★◍◎◎

クリペアタ×レインワルドティアナ
Nepenthes clipeata × reinwardtiana (Natural hybrid)
中川泰秀氏により導入された自然交雑種。
★★◍◎◎

NEPENTHES

ユースタチア
Nepenthes eustachya
かつてはトレウビアナと呼ばれていた種。
★★💧◎◎

エイマイ
Nepenthes eymae
マキシマに似るが上部の袋はカップのようになる。
★★💧◎◎

ファイザリアナ
Nepenthes faizaliana
マキシマに似るが固めの袋を付ける。
★★★💧◎◎

グラシリス ジャイアント
Nepenthes gracilis 'Giant'
ほぼグリーン1色になるタイプ。やや太い袋を付ける。
★★💧◎◎◎

グラシリス ブラック
Nepenthes gracilis 'Black'
袋全体が黒くなるタイプ。右は上部の袋。
★★◊◎◎

グラシリス コタ キナバル
Nepenthes gracilis 'Kota Kinabalu' (Stripe lip)
襟にストライプが入る。標高1000mで確認。
★★◊◎◎

グラシリス×ビカルカラタ
Nepenthes gracilis × *bicalcarata* (Natural hybrid)
自然交雑種。写真は上位袋。
★★◊◎◎

グラシリス クチン
Nepenthes gracilis 'Kuching'
古くから栽培されていた系統。
★★◊◎◎

グラシリス スポート
Nepenthes gracilis 'Sport'
トリコカルパ(自然交雑種)に似るタイプ。
★★◊◎◎

ヒルスタ
Nepenthes hirsuta
葉全体に毛が生える。他にいくつかのタイプがある。
★★★◊◎◎

ヒスピダ
Nepenthes hispida
ヒルスタに近縁の種類。小型種。
★★★◊◎◎

NEPENTHES

フーケリアナ グリーン
Nepenthes × hookeriana 'Green'
アンプラリアとラフレシアナの自然交雑種。希少種。
★★★💧◎◎

フーケリアナ ナカガワ
Nepenthes × *hookeriana* 'Nakagawa'
ネペンテス栽培の名人・中川泰秀氏の導入株。丸く大きな袋をつける。
★★◊◎◉

フーケリアナ シンガポール
Nepenthes × *hookeriana* 'Singapore'
1992年にシンガポールより導入したタイプ。
★★◊◎◉

フーケリアナ コソベ
Nepenthes × *hookeriana* 'Kosobe'
かなり古くから栽培されていた希少種。
★★◊◎◉

カンポティアナ
Nepenthes kampotiana
葉や捕虫袋に軟毛が生える。
★★★◊◎◉

カーシアナ
Nepenthes khasiana
インド・アッサムの固有種。生育が早く育てやすい。
★♦♦♦◎◉

NEPENTHES

クチンゲンシス #1
Nepenthes × kuchingensis (Natural hybrid) *#1*
ボルネオ産アンブラリアとミラビリスの自然交雑種。
★★△◎◎

クチンゲンシス #2
Nepenthes × kuchingensis (Natural hybrid) *#2*
ボルネオ産の緑色の強い自然交雑種。
★★△◎◎

マダガスカリエンシス
Nepenthes madagascariensis
マダガスカルの固有種。栽培は難しい。
★★★△◎◎

マクファラネイ×サンギネア
Nepenthes macfarlanei × sanguinea (Natural hybrid)
山本卓歳氏が導入した種。下位袋がグラシリスと似る。
★★△◎◎

マキシマ モルッカ
Nepenthes maxima 'Moluccas'
かなり大型になるタイプ。左の通常のマキシマ（約20cm）と比べるとその大きさがよくわかる。
★★◊◉◉

NEPENTHES

マキシマ
Nepenthes maxima (Ito)
古くから栽培されているタイプ。
★◊◎◎

マキシマ スラウェシ
Nepenthes maxima 'Sulawesi'
70年代に導入されたタイプ。葉が波打つ。
★★★◊◎◎

マキシマ スラウェシ ナカガワ
Nepenthes maxima 'Sulawesi Nakagawa'
葉は波状になり、襟には濃いストライプが入る。
★★◊◎◎

マキシマ スーペルバ
Nepenthes maxima 'Superba'
古くから栽培されているタイプ。襟が紫で大きい。
★★◐◉◎

マキシマ スラウェシ 襟赤
Nepenthes maxima 'Sulawesi' (Red lip)
スラウェシと同年代に導入されたタイプ。
★★★◐◉◎

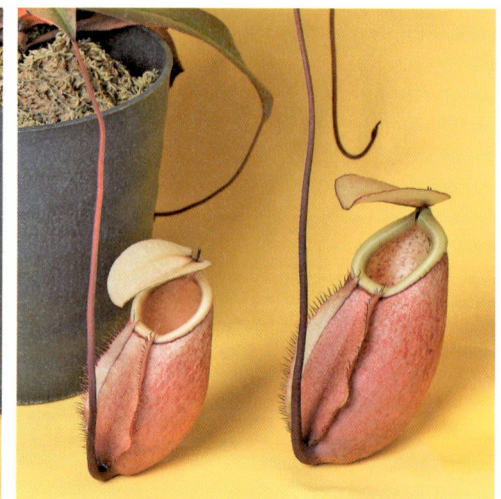

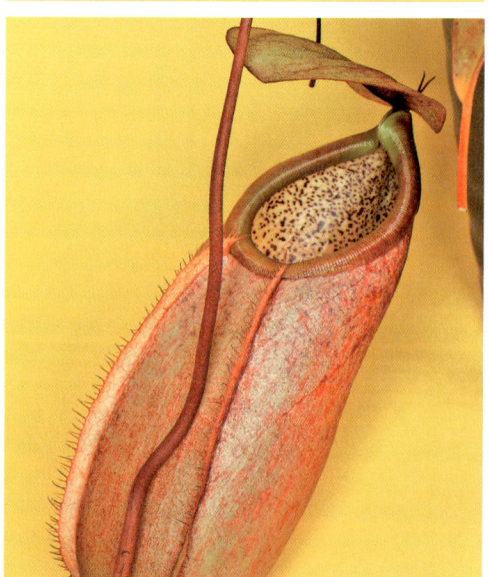

メリリアナ #1
Nepenthes merrilliana #1 (Mino)
ミンダナオ島原産。内斑が強く襟が波打つタイプ。
★★💧◎◉

メリリアナ #2
Nepenthes merrilliana #2
近年実生系として普及し始めたタイプ。
★★💧◎◉

メリリアナ #3
Nepenthes merrilliana #3 (Issei-en)
古くから栽培される大型種。
★★💧◎◉

メリリアナ #4
Nepenthes merrilliana #4 (Yamamoto)
山本卓哉氏により導入。大型になる希少種。
★★★💧◎◉

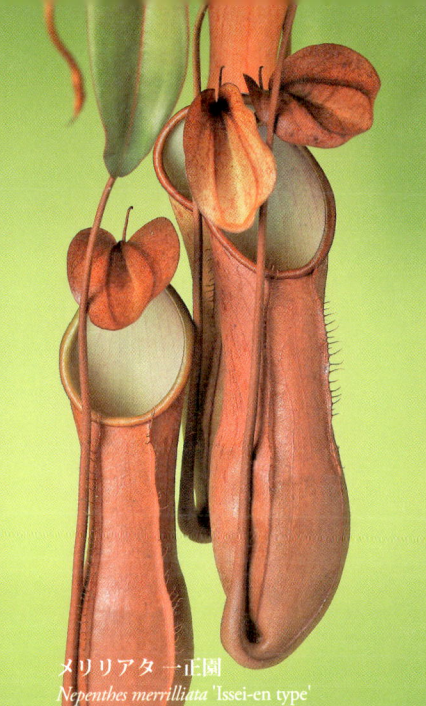

メリリアタ一正園
Nepenthes merrilliata 'Issei-en type'
古い栽培種。アラータとメリリアナの自然交雑種とされる。
★◐◎◉

メリリアタ ピンクタイプ
Nepenthes merrilliata 'Pink type'
古くから栽培されている。自然交雑種の可能性も。
★◐◎◉

ミラ
Nepenthes mira
フィリピンの高山種。暑さには強め。
★★◐◎◉

ミンダナオエンシス
Nepenthes mindanaoensis
近年導入されたタイプ。個体変異もある。
★★★◐◎◉

ミラビリス パラオ
Nepenthes mirabilis 'Palau'
本タイプは翼が長く、蔓の近くまで伸びる。
★★★♦♦♦◎◎

ミラビリス スラウェシ
Nepenthes mirabilis 'Sulawesi'
袋が大型で固めとなるタイプ。
★★♦♦♦◎◎

ミラビリス クチン
Nepenthes mirabilis 'Kuching'
ミラビリスは分布域が広く、個体変異が多い。
★★♦♦♦◎◎

ミラビリス タイ
Nepenthes mirabilis 'Thailand'
過去にタイから導入されたタイプ。ピンクに色づく。
★♦♦♦◎◎

ミラビリス ウイングドフォーム
Nepenthes mirabilis 'Winged form'
蔓は葉のようになり袋と同化するタイプ。
★★♦♦♦◎◎

ペルビレイ
Nepenthes pervillei
セイシェル島固有種。栽培が難しいため、写真のような栽培株は世界的にも例がない。2005年に筆者所属の兵庫県立フラワーセンターにてシブセルフ(同じ種の中の異なる個体同士の交配)に成功した。
★★★◊◉◉◉

ペルタタ
Nepenthes peltata
近年、世界的研究者の倉田重夫氏が命名。
★★◊◎ⓝ

ラフレシアナ
Nepenthes rafflesiana
基本型とも言える古くからの系統。左が上位袋で、右が下位袋。
★★♦♦♦◎◎

ラフレシアナ マルディ
Nepenthes rafflesiana 'Mardi'
中川泰秀氏らによって導入されたタイプ。右が上位袋。
★★♦♦♦◎◎

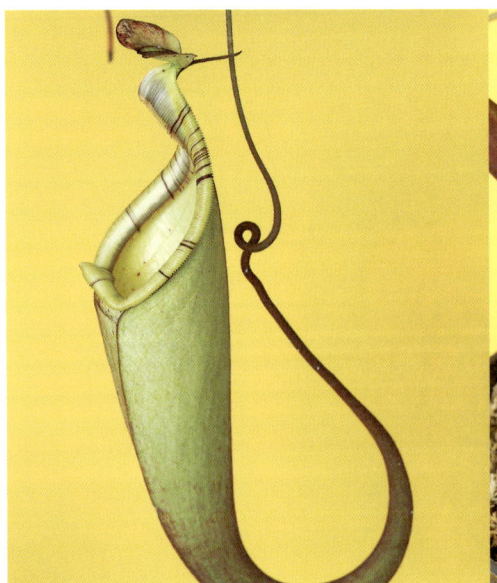

ラフレシアナ クチン
Nepenthes rafflesiana 'Kuching'
大型で翼が波打つタイプ。
★★★◊◎◉

ラフレシアナ ブルネイ
Nepenthes rafflesiana 'Brunei'
昔はラフレシアナ エレガンスタイプと呼ばれた。
★★◊◎◉

ラフレシアナ クチン レッド
Nepenthes rafflesiana 'Kuching red'
葉裏の赤くなるタイプ。上位袋は白、下位袋は赤っぽく色づく。
★★★◊◎◉

ラフレシアナ クチン トリカラー
Nepenthes rafflesiana 'Kuching tricolor'
袋に3～4色の濃淡のある斑点が入るタイプ。
★★★◊☺☺

ラフレシアナ マルディ ニベア
Nepenthes rafflesiana 'Mardi nivea'
マルディ産の白い袋を付けるタイプ。
★★◊☺☺

ラフレシアナ クチン ビッグ
Nepenthes rafflesiana 'Kuching Damai big'
袋がとても大きく育つタイプ。
★★∩☺☺

ラフレシアナ ニベア
Nepenthes rafflesiana 'Nivea' (Joseph Yeo)
マレーシア原産のタイプ。
★★◊☺☺

ラフレシアナ コシカワ
Nepenthes rafflesiana 'Koshikawa'
収集家の越川幸雄氏が導入した優秀な個体。
★★◊◎◎

ラミスピナ
Nepenthes ramispina
袋は黒っぽく内斑はない。マレー半島の高山性種。
★★★◊◎◎

ラフレシアナ クチン 丸型
Nepenthes rafflesiana 'Kuching ball-shaped'
葉は短めで幅があり、袋は球状に近くなる。
★★◊◎◎

レインワルドティアナ バリオ
Nepenthes reinwardtiana 'Bario'
グリーンのものが多いが、珍しい赤いボルネオのタイプ。
★★♦♦♦◎◎

レインワルドティアナ クチン
Nepenthes reinwardtiana 'Kuching'
クチン産のグリーンの基本型タイプ。
★★◆◆◆◎◎

レインワルドティアナ スマトラ
Nepenthes reinwardtiana 'Sumatra'
スマトラ、ブキティンギ方面からの個体。
★★◊◎◎

サンギネア オールドタイプ
Nepenthes sanguinea 'Old type'
現在はラミスピナとサンギネアの自然交雑種と推定。
★★◊◎◎

サンギネア キャメロンハイランド #1
Nepenthes sanguinea 'Cameron Highlands #1'
キャメロンハイランド産の大型タイプ。
★★◊◎◎

サンギネア キャメロンハイランド #2
Nepenthes sanguinea 'Cameron highlands #2'
キャメロンハイランド産の赤みが強く、袋の内斑がないタイプ。
★★◊◎◎

サンギネア キシノ
Nepenthes sanguinea 'Kishino'
まれに下位袋の襟が角張るような形になる希少種。
★★◊◎

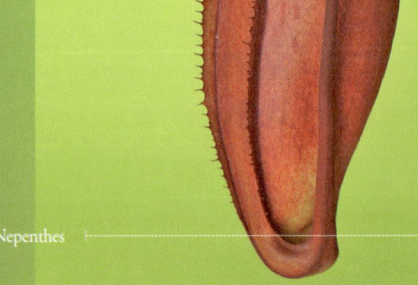

sp. オールドタイプ
Nepenthes sp. 'Old type'
昔はグラシリマとして知られていた種。
★💧◎◎

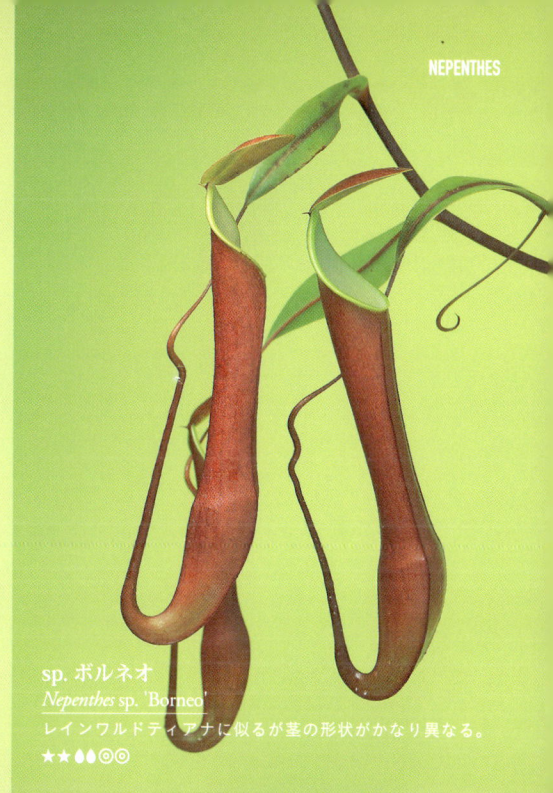

sp. ボルネオ
Nepenthes sp. 'Borneo'
レインワルドティアナに似るが茎の形状がかなり異なる。
★★💧💧◎◎

sp. フィリピン #1
Nepenthes sp. 'Philippines #1'
ベリーの名で流通したが、自然交雑種と思われる。
★💧◎◎

sp. フィリピン #2
Nepenthes sp. 'Philippines #2'
ミンダナオエンシスの自然交雑種と思われる大型種。
★★★💧◎◎

sp. フィリピン #3
Nepenthes sp. 'Philippines #3'
かなり大型になる種。
★★☼◐◎

スマトラナ
Nepenthes sumatrana
スマトラの低地性種。袋入り口のストライプが美しい。
★★★☼◐◎

ステノフィラ
Nepenthes stenophylla
ボルネオの高山性種。葉や袋に毛が多く生える。
★★☼◐◎

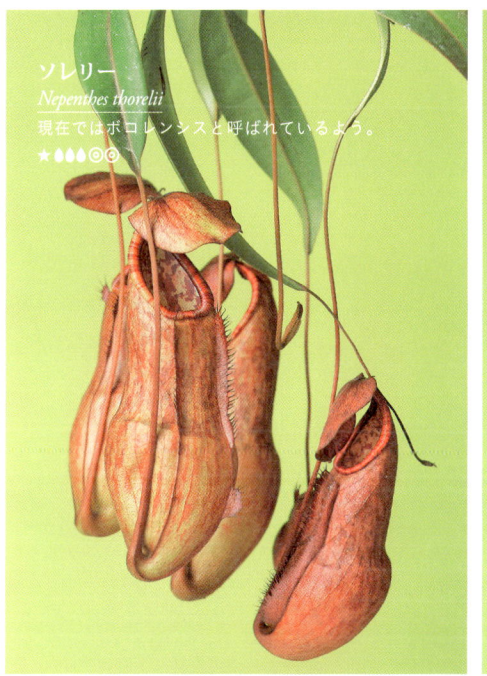

ソレリー
Nepenthes thorelii
現在ではポロレンシスと呼ばれているよう。
★★♦♦♦◎◎

ソレリー 一正園
Nepenthes thorelii 'Issei-en type'
以前はカンボティアナと呼ばれていた。希少種。
★★♦♦♦◎◎

ソレリー イケダ
Nepenthes thorelii 'Ikeda'
古くから栽培されるベトナム、カンボジアなどに自生する種。
★★♦◎◎

トバイカ パープル
Nepenthes tobaica 'Purple'
スマトラ島原産の小型種で、いくつかの系統がある。
★★◊◎◎

トリコカルパ
Nepenthes × trichocarpa (Old type)
アンプラリアとグラシリスの自然交雑種と思われる基本型。
★★◊◎◎

トリコカルパ レッド
Nepenthes × trichocarpa 'Red'
アンプラリアとグラシリスの自然交雑種。赤い斑点が目立つ。
★★◊◎◎

トランカータ オールドタイプ
Nepenthes truncata 'Old type'
国内で初めて実生繁殖された系統。
★★◊◎◎

NEPENTHES

トランカータ レッドタイプ
Nepenthes truncata 'Red Body type'
袋が赤みを帯びる高山性種。
★★★💧◎◎

トランカータ
Nepenthes truncata (Flat peristōme)
襟が広くなるタイプ。
★★★💧◎◎

ビーチー バリオ
Nepenthes veitchii 'Bario'
ボルネオ原産の着生種。襟が広い。
★★★💧◎◎

ビーチー ハイランド #1
Nepenthes veitchii 'Batu Buli' 1500m#1
袋は細形で襟が広くなる。
★★★💧◎◎

トランカータ ビッグ
Nepenthes truncata 'Big' (Issei-en)
特に大型になるタイプ。50cmオーバーもしばしば。
★★◊◎◎

NEPENTHES

ビーチー ハイランド #2
Nepenthes veitchii 'Batu Buli' 1500m #2
襟にストライプが入る系統。
★★★◊◎◉

ベントリコーサ
Nepenthes ventricosa (Old type)
古くから栽培されてきた基本的なタイプ。
★◆◆◆◎◉

ベントリコーサ レッド
Nepenthes ventricosa 'Red'
フィリピン・ルソン島産。赤の強い系統。
★◆◆◆◎◉

ベントリコーサ ポリスパス
Nepenthes ventricosa 'Policepass'
ポリス峠の地名に由来する希少種。
★★★◊◎◉

Nepenthes

ベントリコーサ レッド オールドタイプ
Nepenthes ventricosa 'Red' (Old type)
古くから「レッド」というとこの種を指した。右は上位袋。
★♦♦♦◎◎

ベントリコーサ ロングボトル
Nepenthes ventricosa 'Long bottle'
ルソン島北部産。袋が長めで大型になる希少種。
★★◊◎◎

ボゲリー
Nepenthes vogelii
ボルネオの高山性種。袋は固めで細くなる。
★★★◊◎◎

Nepenthes Hybrid
ネペンテス ハイブリッド

ダイエリアナ
Nepenthes Dyeriana
1800年代後半からイギリスのKEW植物園園長を務めた
ウィリアム・シゼルドン-ダイヤーの名にちなむ大型の優秀な品種。
★🔆◎

NEPENTHES HYBRID

アンプラリア レッド × ヒルスタ
Nepenthes 'ampullaria Red × *hirsuta*'
両種のちょうど中間のようになる。グリーンが強い。
★★◐◉◎

アンプラリア × アルボマギナタ
Nepenthes 'ampullaria var. *vittata* × *albomarginata*'
中間的な姿で、袋の入り口に白いバンドが出る。
★★◐◉◎

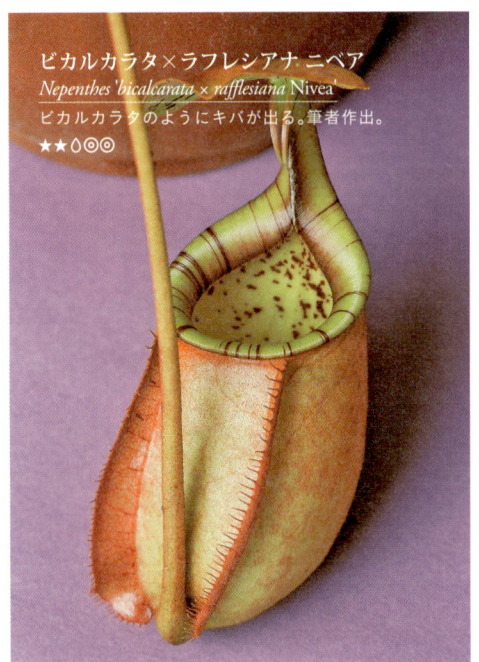

ビカルカラタ × ラフレシアナ ニベア
Nepenthes 'bicalcarata × rafflesiana Nivea'
ビカルカラタのようにキバが出る。筆者作出。
★★◐◉◎

クリペアタ × トランカータ
Nepenthes 'clipeata × truncata'
両種の良いところが出た品種。袋は40cmにもなる。
★★★◐◉◎

NEPENTHES HYBRID

デインティ コト
Nepenthes 'Dainty Koto'
河瀬晃四郎氏が作出した名作・古都シリーズの一種。
★ ♦♦♦ ◎◎

ドミニー
Nepenthes 'Dominii' (Joseph Yeo)
シンガポールの知人より送られてきた古い交配種。
★ ♦♦♦ ◎◎

グラシリス ブラック × ベントリコーサ レッド
Nepenthes '*gracilis* Black × *ventricosa* Red'
山本卓哉氏が交配。下位袋は真っ黒になる。
★ ♦♦♦ ◎◎

ヘンリアナ
Nepenthes 'Henryana'
古いタイプで1800年代に作出されたとされる。
★ ♦♦♦ ◎◎

NEPENTHES HYBRID

フーケリアナ シンガポール×ソレリーイケダ
Nepenthes ' × *hookeriana* Singapore × *thorelii* Ikeda'
袋は見た目より柔らかい。
★★◊◎◉

インターメディア
Nepenthes 'Intermedia'
ベントリアナとともに古く、ヨーロッパで作出された品種。
★◊◊◊◎◉

フーケリアナ×アルボマギナタ
Nepenthes ' × *hookeriana* × *albomarginata*'
全体が白い微毛で覆われている。
★★◊◎◉

NEPENTHES HYBRID

ミナミ トライアンフ
Nepenthes 'Minami triumph'
内藤弘昭氏作出の希少品種。右は上位袋。
★★◊◎◎

マスターシアナ プルプレア
Nepenthes 'Mastersiana Purpurea'
1800年代後半に作出された名品。
★◊◎◎

ミキスタ×ビーチーコソベ
Nepenthes 'Mixta × veitchii Kosobe'
両種の特徴が良く出ている品種。山本卓哉氏交配。
★★◊◎◎

NEPENTHES HYBRID

ノーシアナ×トランカータ
Nepenthes 'northiana × truncata'
袋は見た目より柔らかい。山本卓哉氏交配。
★★◊◎◎

オヤニラミ
Nepenthes 'Oyanirami'
筆者作出の品種。同名の淡水魚の色合いから命名。
★★◊◎◎

オトクニ
Nepenthes 'Otokuni'
ベントリコーサ×トランカータの山本卓哉氏による交配。袋のつきも良い。
★◊◊◊◎◎

NEPENTHES HYBRID

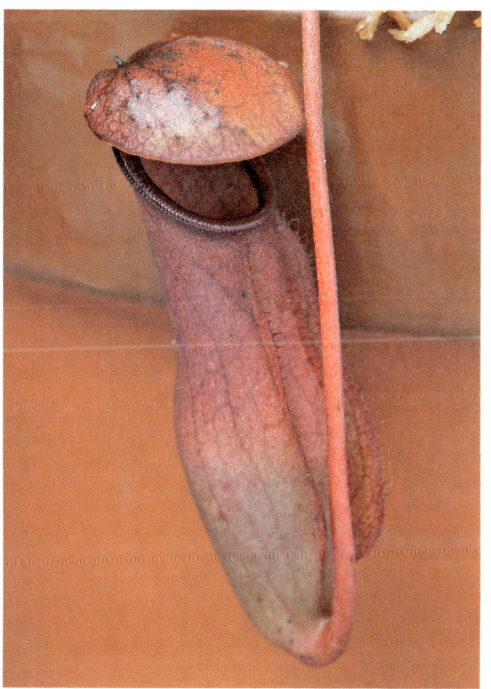

ペルビレイ×カーシアナ
Nepenthes 'pervillei × khasiana'
カーシアナの強靭な性質が出た筆者交配種。
★★◊☺◎

ペルビレイ×マダガスカリエンシス
Nepenthes 'pervillei × madagascariensis'
おそらく世界初の交配。筆者作出。実生4年目。
★★◊☺◎

NEPENTHES HYBRID

ラパ
Nepenthes 'Rapa'
アンブラリア×ビカルカラタの中川泰秀氏による交配種。
★★💧◎◉

NEPENTHES HYBRID

T.V.
Nepenthes 'T.V.'
ダブルピッチャー（写真右）が2回出現した筆者作出品種。
★★◊◉◎

ソレリー×ビカルカラタ
Nepenthes 'thorelii × bicalcarata'
両種の良い形質が出た品種。筆者作出。
★★◊◉◎

食虫植物はいかにして虫を捕まえるか？
TRAPS

〈落とし穴式〉
ネペンテス、サラセニアなど。

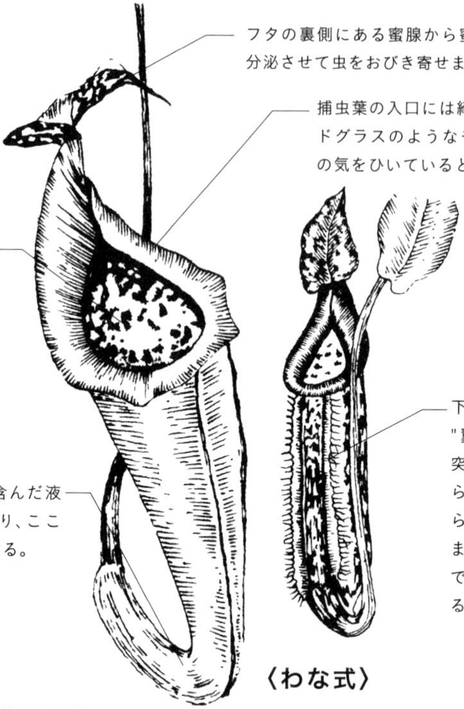

- フタの裏側にある蜜腺から蜜を分泌させて虫をおびき寄せます。
- 捕虫葉の入口には綺麗な縞模様やステンドグラスのようなモザイク柄が入り、虫の気をひいているとも言われます。
- ネペンテスの袋の中は蝋状のツルツルの壁、サラセニアの筒の中は下にむかってびっしりと毛が生えていて、一度落ちた虫は外に出られません。
- 底には消化液を含んだ液体がたまっており、ここで虫を消化吸収する。
- 下部にできる袋には"翼"と呼ばれる帯状の突起ができ、虫が地上から入り口まで登ってこられるようになっています。このように上と下では違う形の袋を付けるものが多いです。

〈粘着式〉
モウセンゴケ、ムシトリスミレなど。

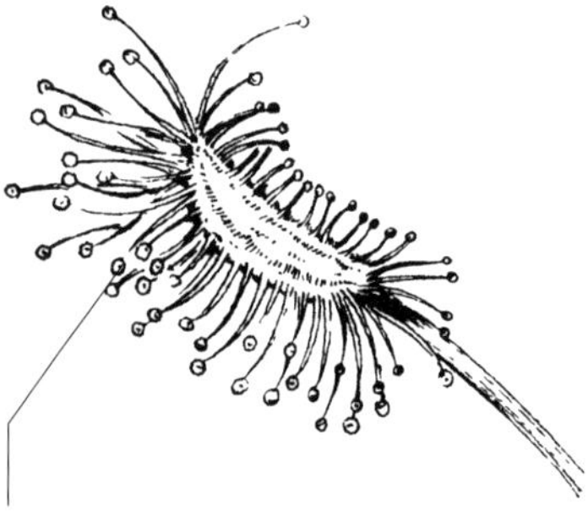

葉に生える腺毛の先から粘液を分泌し、これでからめとります。ムシトリスミレは葉の表面全体に粘着液を分泌させて捕らえます。1つの腺毛に虫がかかると、その信号が他の腺毛にも伝わって、周囲の腺毛がだんだんと虫のほうに向かって倒れ、多くの腺毛でからめとります。種類によっては葉全体で巻きつくようになるものも。

〈わな式〉
ハエトリソウなど。

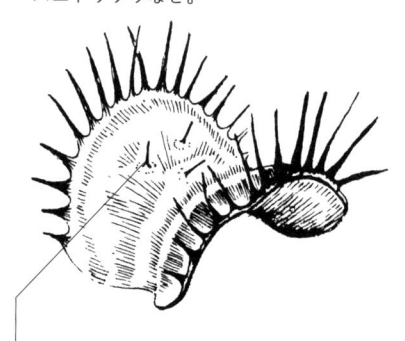

感覚毛というセンサーが3本あり、これに虫が2回触れると約0.5秒の速さで葉が閉じます。2回触れないと閉じないのは、この閉じる動作が植物体にとても負担がかかる動作であり、虫でない何かが触れたことで誤動作しないため。捕まえた虫は約1週間かけてゆっくり消化吸収します。

Drosera

モウセンゴケ属

世界中に分布する粘着捕虫植物の代表的なドロセラ属で、和名ではモウセンゴケ属とも呼ばれます。140種類以上が知られており、分布域の広さから多くのタイプが存在します。この章では属は違いますが、同じ粘着液で捕虫するドロソフィルムとロリズラタイプも同じ章にて紹介します。

アデラエ
Drosera adelae
オーストラリア原産、根から多数の葉を出します。凍らぬ程度で越冬可能。
★◊◉◎

アリキアエ
Drosera aliciae
南アフリカ原産のロゼットが美しい種。
★★◊◉◎

ビナータ
Drosera binata var. *dichotoma*
和名ではヨツマタモウセンゴケと呼ばれる大型種。
★◊◉◎

DROSERA

ビナータ ムルティフィダ
Drosera binata var. *multifida*
和名ヤツマタモウセンゴケ。葉先が多く分かれる。
★◊◎◎

フィリフォルミス レッド
Drosera filiformis 'Red'
和名イトバモウセンゴケの赤味の強いタイプ。
★◊◎◎

カペンシス アルバ
Drosera capensis 'Alba'
和名アフリカナガバモウセンゴケの白いタイプ。
★◊◎◎

カペンシス ナローリーフ
Drosera capensis 'Narrow leaf'
古くから栽培されていた系統。
★◊◎◎

カペンシス レッド
Drosera capensis 'Red'
赤味の強いタイプ。
★ ◊ ☺ ◎

カペンシス ヘアリー
Drosera capensis 'Hairy'
南アフリカから導入。やや大型で毛が多い。
★ ◊ ☺ ◎

クネイフォリア
Drosera cuneifolia
南アフリカ原産で塊根を形成する種。
★★ ◊ ☺ ◎

ブルマニー
Drosera burmannii
和名クルマバモウセンゴケ。小型の一年草。
★★ ◊ ☺ ◎

DROSERA

ハミルトニー
Drosera hamiltonii
オーストラリア原産の肉厚の葉を持つ種。
★💧☺◎

マダガスカリエンシス
Drosera madagascariensis
立ち上がる姿が特徴的な種類。
★★💧☺◎

ナタレンシス
Drosera natalensis
花茎にも粘着がある。コモウセンゴケに似る。
★💧☺◎

パラドクサ
Drosera paradoxa
線香花火のように見える種類。高温が必要。
★★★💧☺◎

インターメディア
Drosera intermedia
ヨーロッパやアメリカに広く分布する強健種。
★◊◉◎

オルデンシス
Drosera ordensis (Shimada)
高温多湿を好み、栽培が難しい希少種。
★★★◊◉◎

ネオカレドニカ
Drosera neocaledonica
ニューカレドニア固有の美しい小型種。
★★◊◉◎

プルケラ
Drosera pulchella (Red flower)
至って小型だが、花は大きく美しい。ムカゴで増える。
★★◊◉◎

パレアケア
Drosera paleacea
直径5mmにおよばない小型種。
★★◊◎◉

レギア
Drosera regia
南アフリカ原産の大型種。暑さにやや弱い。
★★◊◎◉

sp.
Drosera sp.
古くから栽培されていたタイプ。
★◊◎◉

スパスラタ
Drosera spatulata
和名コモウセンゴケの基本種。日本原産。
★◊◎◉

DROSERA

スコーピオイデス
Drosera scorpioides
名前はサソリが尾を上げたような姿にちなむ。
★★◊◎◉

スラッキー
Drosera slackii
南アフリカ原産。多肉質の葉を持つ。
★★◊◎◉

ロツンディフォリア
Drosera rotundifolia
日本をはじめ北半球の広い地域に生息。暑さに弱い。
★★◊◎

シザンドラ
Drosera schizandra
オーストラリアの熱帯雨林に自生。強光に弱い。
★★★◊◎

Drosera

ロリズラ ゴルゴニアス
Roridula gorgonias
ロリズラ科。南アフリカ原産の強力な粘着力を持つ種。
★★◊◎◎

ドロソフィルム ルシタニクム
Drosophyllum lusitanicum
モウセンゴケ科1属1種。半乾燥地帯に生息。多湿に弱い。
★★♦♦◎◎

… DIONAEA

Dionaea

ハエトリソウ属

最も有名な食虫植物といえるディオネア属。和名ではハエトリソウ属。素早い動きで虫を挟み込む姿は、人々に驚きと感動を与え、ダーウィンが熱心に研究に取り組んだのもうなずけます。学名はディオネア マスシプラ。1属1種の多年草で北アメリカの限られた地域に生息。現在では組織培養により大量に生産され、その過程で発生した様々な変異が品種として流通しています。

マスシプラ シャークティース
Dionaea muscipula 'Shark teeth'
組織培養による変異タイプ。サメ歯のような葉。
★◊◎◎

マスシプラ オールドタイプ
Dionaea muscipula 'Old type'
古くから育てられている系統。
★◊◎◎

マスシプラ ビッグマウス
Dionaea muscipula 'Big mouth'
近年普及し始めた大型で赤みの強いタイプ。
★◊◎

マスシプラ ファンネルトラップ
Dionaea muscipula 'Funnel trap'
葉柄が波打つようになるタイプ。
★★◊◎

Pinguicula
ムシトリスミレ属

北半球と南米に約70種が生息するピングイクラ属。和名ムシトリスミレ属。葉の表面から粘着液を分泌させて虫を捕らえます。分解した養分はそのまま葉の表面から吸収。自生地により冬芽を作るものもあります。

ジーナ
Pinguicula 'Gina'
花の美しい大型の交配種。
★♦♦◎◎

アグナタ
Pinguicula agnata
メキシコ原産の大型種。加湿に弱い。
★★♦♦◎◎

シクロセクタ
Pinguicula cyclosecta
メキシコ原産でやや小型。花が非常に美しい種。
★♦♦◎◎

モラネンシス ファファパン
Pinguicula moranensis 'Huajuapan'
メキシコ原産モラネンシスのバラエティのひとつ。
★★♦♦◐◎

マルチャノ
Pinguicula 'Marciano'
冬、温室では真っ赤に色づく。
★♦♦◐◎

モラネンシス カウダタ
Pinguicula moranensis "Caudata"
古くからカウダタと呼ばれるタイプ。
★★♦♦◐◎

レクチフォリア
Pinguicula rectifolia
メキシコ原産の多花性の種類。
★★♦♦◐◎

PINGUICULA

エレルサエ
Pinguicula ehlersiae
メキシコ原産のやや小型の種。いくつかのタイプあり。
★♦♦◎◎

ギガンティア
Pinguicula gigantea
メキシコ原産の大型種。用土はやや乾燥気味を好む。
★★★♦♦◎◎

ジャウマベンシス
Pinguicula jaumavensis
小型で多肉植物のような姿の種。
★★♦♦◎◎

プリムリフロラ
Pinguicula primuliflora
北アメリカ～メキシコ湾岸に生息。栽培しやすい種。
★♦♦♦◎◎

セトス
Pinguicula 'Sethos'
(上)エレルサエとモラネンシスの交配種。
★♦♦◉◎

sp. パチュカ
Pinguicula sp. 'Pachuca'
(下)メキシコ原産。花は青紫で美しい。
★★★♦♦◉◎

OTHERS

Others

サラセニア、ネペンテス、モウセンゴケ、ハエトリソウ、ムシトリスミレ、と代表的な食虫植物を紹介してきましたが、食虫植物には他にもいろいろな種類があります。

ヘリアンフォラ ヌタンス
Heliamphora nutans
南米ギアナ高地原産。サラセニア科の落とし穴式捕虫。
★★★◊◊◊◯◉

ヘリアンフォラ タテイ
Heliamphora tatei
ヘリアンフォラのやや大型になるタイプ。
★★★◊◊◊◯◉

ウトリクラリア ディコトマ
Utricularia dichotoma
地下部に小さな袋があり、ミジンコを吸い込んで捕える。ミミカキグサの一種。
★◊◯◉

イビセラ ルテア
Ibicella lautea
葉に粘液を分泌するツノゴマの一種。鉤爪のような「悪魔のつめ」と呼ばれるさやを形成する。
★◊◊◊◯◎◉

Others

OTHERS

ヘリアンフォラ ミノール
Heliamphora minor
ヘリアンフォラの小型のタイプ。
★★★◊◊◊◎

ブロッキニア レダクタ
Brocchinia reducta
南米ギアナ高地産、パイナップル科である。
★★◊◊◎◎

セファロタス フォリキュラリス
Cephalotus follicularis
豪州原産の1科1属1種の希少種。
和名・フクロユキノシタ。
★★◊◎◎

セファロタス フォリキュラリス ビッグタイプ
Cephalotus follicularis 'Big type'
通常タイプの1.5倍ほどの大きさの袋を付けるタイプ。
★★◊◎◎

Others

高地性の食虫植物たち
HIGHLAND NEPENTHES

N. aristolochioides
アリストロキオイデス

N. bongso
ボンソ

N. burbidgeae
バービジアエ

N. dubia
デュビア

N. edwardsiana
エドワードシアナ

N. ephippiata
エピピアタ

N. glabrata
グラブラタ

N. hamata
ハマタ

N. hurrelliana
ヒューレリアナ

N. inermis
イネルミス

N. jamban
ジャンバン

N. klossii
クロシー

写真提供／山田食虫植物農園

食虫植物の中でも、ネペンテスなどの中には標高1000m以上の冷涼な高地に生息する種類がいます。こうしたエリアの植物は、日本の夏の猛暑に耐えることができないため、冷房施設が必要となり、あまり一般的な栽培には向いていません。筆者の温室でもほとんど栽培していませんが、その姿は、とてもユニークで魅力的なものが多くあります。

N. lowii Kinabalu
ローウィ キナバル

N. lowii Mulu
ローウィ ムル

N. lowii Trusmadi
ローウィ トルスマディ

N. macrophylla
マクロフィラ

N. naga
ナガ

N. platychila
プラティカイラ

N. rajah
ラジャ

N. sibuyanensis
シブヤネンシス

N. spectabilis
スペクタビリス

N. tentaculata
テンタキュラタ

N. villosa
ビロサ

N. x trusmadiensis
トラスマディエンシス

Column

第 2 章 食虫植物の育て方

サラセニア属、ネペンテス属、ハエトリソウ属＆モウセンゴケ属、ムシトリスミレ属の4つのグループに分け、それぞれに適した育て方を解説します。

※育て方は、栽培する環境によって様々なので、解説はあくまで目安です。
実際に育てながら、日々よく植物の様子を観察して、その環境にあった育て方を見つけ出してください。

SARRACENIA

サラセニア属の育て方

北米のブナ林などの沼地に生息しているサラセニア。このエリアは熱帯地域でないため、サラセニアも特別な冬越しの対策が必要なく、日本でもほとんどの種類が通年屋外で育てられます。沼地に生育しているため、水切れしないように腰水で育てましょう。丈夫で管理が楽なため、初心者にもオススメです。

【育て方のポイント】
◎一年中、直射日光の当たる場所を好む。
◎3cm〜5cm程度の腰水で管理。
◎夏場は枯れ葉をカットして風通しを確保。
◎雑菌が付く危険性があるので、必ず台の上で管理する。

日照の管理

サラセニアは、食虫植物の中では最も日照を好むと言っていいでしょう。基本的には遮光は不要で、一年中、直射日光の当たる場所が最適です。冬場は葉を落として休眠していますが、その際も屋外で管理して問題ありません。朝から夕方までコンスタントに光が当たる場所が好ましく、建物や樹木の陰になってしまう場合でも、なるべく多くの時間、直射日光の当たる場所を探してみてください。

水やりの方法

基本的には、受け皿に3cm〜5cm程度水をためて吸わせる腰水で管理します。冬場に多少腰水が凍っても問題ありません。水がなくなってきたら鉢上の用土に水を注いで追加します。生育期間中のサラセニアはかなりの水分を吸収し、捕虫葉に送っています。水が涸れて用土も乾いてしまうと、萎れてしまい、回復できずに捕虫葉が枯れてしまうことがありますので、乾かしすぎには十分注意してください。とはいえ、水切れしないように深い腰水にしてしまうのは危険です。植え方の項目でくわしく解説しますが、植え込み材に水苔を使うことが多いので、深い腰水にするとこれらの有機物の腐敗を早め、発酵状態となり、根が呼吸困難になってしまって、植物が枯れたり、根茎部が腐る原因となります。屋外で管理する際、雨ざらしでまったく問題ありませんが、大雨や台風などでは、捕虫葉に大量の水が入ったり、折れてしまうことがありますので注意してください。水やりの際も筒の中にあまり水が入らないように注意してください。

夏越し・冬越しの方法

ミノール

鉢を二重にした様子

その他の日常の管理

虫害でよじれた新芽

「夏越し」の方法

暑さにも寒さにも強い植物ですが、一部、日本の夏の高温、多湿により生育を止めるものがあります。フラバ、ルブラ、ミノールなどがそうです。また、これらの交配種でも弱るものが多いので、傷んだ葉を除去し、なるべく風通しの良い場所や半日陰に移してやることが大事です。腰水も夏はお湯のように熱くなってしまいます。なるべく皿の中の水が熱くならないように光を反射する白系の受け皿を使ったり、水が一度すべてなくなってから再び入れるなどのちょっとした工夫で、腰水による害を防ぎましょう。また、多少管理に手間がかかるようになりますが、腰水をやめて、鉢上が乾いたら水やりをする通常の潅水方法に切り替えるのもよいでしょう。

鉢ごと日向土で埋め込む夏越し方法

一回り大きな鉢へ日向土で埋め込むことで、素焼鉢が受け皿の水を吸い上げて気化させ、鉢のまわりを涼しく保つ方法です。送風機などで風をおくってやれば、さらに効率的に冷やしてくれます。また、鉢を二重にし、日向土を詰めることで、鉢が日光によって高温になることも防げます。元の鉢がぴったりとおさまる鉢があるようであれば、特に日向土を詰めなくとも、二重にするだけでも効果はあります。

「冬越し」の方法

冬越しに関しては私のところでは特に何もしていません。しかし、寒冷地ではプルプレアやプシタシナなどはかなり傷んでしまうので、霜よけ程度の場所に移動させるほうがよいでしょう。用土が鹿沼土の場合、霜柱で株が浮いて、乾燥して枯死してしまうこともあるので注意してください。

害虫への対策

サラセニアの害虫被害で一番多いのはスリップス（アザミウマ）、アブラムシです。新芽の展開する時期から付いて吸汁するので、傷んでボロボロになることがあったり、捕虫葉がよじれたり、新芽が出なくなることもあります。春〜初夏、秋に多いので注意してください。また、葉ダニによる被害もあります。いずれにしても気づかないほどの小さい害虫ですので、予防を兼ねて、薬剤（サンマイトフロアブル、ベニカなど）で対策をしたほうがよいでしょう。蓑虫やヨトウムシなど、葉を食べてしまう害虫が付くこともありますので、同じく薬剤で防除してください。

病気に関しては、梅雨時期〜夏場、秋の長雨などでバルブごと腐ってしまう病気がまれにあります。原因は確定できていませんが、高温多湿による蒸れや、病原菌によるものでしょう。予防としては風通しをよくしたり、まめに枯れ葉などを除去、または腰水をやめて通常潅水に切り替えるなどの方法があります。一度腐ってしまうとほぼ回復不能ですが、まだ生きているバルブがある場合は、腐った部分を取り除き水洗いをして水苔に植え、乾かし気味に管理して回復を待ちましょう。

その他に注意すべきは、ウィルス病です。常によじれた葉が上がり、葉には濃淡のあるモザイク状の模様が確認できます。他のサラセニアに移ることがあるので、隔離するか処分してください。対処する薬剤はありません。ウィルスにかかっても何年かは生きていますので、貴重な株であれば花の時期に受粉させ、種子から育てる方法にします。種子にはウィルスは感染しません。アブラムシなどの防除、感染した株を手入れしたハサミなどをまめに加熱消毒することで予防することができます。

肥料のやり方

肥料はほとんど必要ありません。

枯れ葉の手入れと除草

完全に枯れてしまった葉を定期的に落とす程度で、それほど気を遣わなくても構いません。夏場は風通しよくするためにまめにしてあげると調子が良くなります。草も小さいうちに除去しましょう。

サラセニアを増やす

株分けで増やす

最も増やしやすいのが株分け。12月頃から翌年3月いっぱいまでに行うのが理想的です。

① 枯葉を除去、用土を取り除きます。

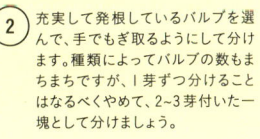

② 充実して発根しているバルブを選んで、手でもぎ取るようにして分けます。種類によってバルブの数もまちまちですが、1芽ずつ分けることはなるべくやめて、2〜3芽付いた一塊として分けましょう。

種から増やす

サラセニアは種子からの繁殖もできます。開花時期に受粉させ、種子をとります。8月中旬頃には中の種子は充実していますので、莢がはじける前に採種します。できれば湿らせた鹿沼土などと一緒に冷蔵庫で保管し、翌年の4月以降に蒔くとよいでしょう。砂利を8割ほど入れ、その上に刻んだ水苔を敷き、覆土はせずに蒔きます。受け皿を置いて腰水にして、日当たりの良い所で管理すると、約1〜2ヵ月で発芽します。小さな筒が2〜3本出てきたら移植します（小さなポットなどに数株をまとめて根を水苔で巻き、植える）。平均4〜5年ほどで開花できる親株に成長します。種蒔きを急ぐ場合は2週間冷蔵庫に入れた後、取り出して蒔きます。この場合、苗はすぐには大きくならないので、冬場は凍らない程度の場所で管理しましょう。

サラセニアの植え方

水苔を詰める固さ具合は、柔らかすぎず、固すぎず、目安としては植えた後、鉢の底から水が流れ出るまで潅水し、鉢の表面にたまった水が、おおむね4秒〜6秒くらいで染みこんで鉢上から見えなくなる程度の詰め方が理想です。スムーズに水が染みこまず、たまっているような状態では、固く詰めすぎです。詰めすぎると、加湿で生育不良を起こす可能性がありますので、この水の染みこむスピードを参考にしてみてください。逆に2秒ほどで水が抜けてしまう時は、しっかりと詰まっておらず、中に空洞があると考えられます。こうなると、乾きが早すぎたり、根の張りが悪くなります。

栽培に慣れてきたら、乾き具合や種類の生育具合で、砂利系に少しピートモスを混ぜたり、川砂に消毒した田土を混ぜるなどの方法もあるので、自分の環境により合いそうな方法に挑戦するのもよいでしょう。サラセニアに限らず、食虫植物に適した培養土はさまざまです。使える有機物資材としては水苔、酸度無調整のピートモス、やしがら繊維など。無機物資材では日向土、桐生砂、川砂、赤玉土、バーミキュライトなどがあります。基本的に、保水性、通気性があること、そして、弱酸性、または中性で肥料分がないことが選ぶ条件です。花用の培養土などは栽培に向きません。

① 鉢の底4分の1〜5分の1程度、日向土の中粒か小粒を入れる。

② 横から見て鉢の耳よりバルブが少し上になるように、また、芽の出ていく方向の空間をあけ気味にした位置に手で固定します。決して深植えにしてはいけません。

③ 片手を添えて動かさないようにし、指先を使い水苔を詰めていきます。株分けして割った際の切り口は、埋め込んでしまわずに、必ず空気に触れるようにします。

④ 完成

サラセニア 管理カレンダー

	1月	2月	3月	4月	5月	6月	7月	8月	9月	10月	11月	12月
場所 遮光						屋　　外 遮光：なし						
繁殖		株分け 植え替え										株分け 植え替え
防除予防目安					1回 殺ダニ 殺虫	殺菌	1回 殺ダニ 殺虫		1回 殺ダニ 殺虫			

ネペンテス属の育て方

ネペンテスは、大きく分けると2つのタイプに分かれます。30℃程度の高温多湿な熱帯のジャングルの中で生息している「熱帯低地性」のタイプ。そして、平均気温20〜23℃で湿度が高く、一日の大半が霧に覆われるような山岳帯に生息する「熱帯高山性」です。この2つのタイプの育て方をそれぞれ解説します。熱帯高山性種は日本の夏を越すために特別な施設が必要となるため、ここでは基本的に標高1500mまでに生息するネペンテスを対象とします。

【育て方のポイント】
◎ 明るくやや強めの光を好む。
◎ 用土の表面が乾いたら、水やりの合図。
◎ 冬は室内の窓辺か、温室に取り込み、加温する。
◎ 線虫が付く危険性があるので、必ず台の上で管理する。

日照の管理

多くの種類は強めの光を好み、日照が足りないと良い捕虫袋を付けない傾向があります。日照はとても重要です。特に冬場、日本の場合は日照時間が短く、日差しも弱いので11月以降から3月いっぱいまでは無遮光で管理しましょう。4月以降から10月いっぱいまでは強光と高温から守るために50%〜60%の遮光下で管理します。種類によって葉が少し焼け気味になる場合もありますが、多くの種では、節間が詰まって固めの葉になり、捕虫袋も付きがよくなります。また、冬場はできるだけ日照に当てることによって、鉢の温度や棚などの温度も上げてやることができます。

節間の詰まった葉

水やりの方法

園芸の世界では「水やり3年」という言葉がありますが、ネペンテスも、育てている環境や季節によって水やりの方法が大きく違ってきます。基本的に多湿な環境（高い空中湿度）を好みますが、ただ常に濡れていればよい、というわけではありません。用土の種類によっても異なりますが、水やりの目安としては、用土の表面が乾いてきたら与えるくらいが良いでしょう。鉢のサイズや種類、株の状態などで異なってきますが、夏場であっても朝十分に湿っている状態の鉢にはかけないようにします。夕方には乾いている、というパターンが理想的で、この時に用土の表面の乾き方を見ながら潅水します。用土が乾いてかなり白っぽくなっている鉢には、鉢の底から流れる程度まで多めに水やりをし、まだ用土が湿っている状態のものには葉水程度で抑えます。当然、毎

トランカータ

カーシアナ

夏越し・冬越しの方法

二重鉢をしたネペンテス

日、鉢によって乾き方が違うので、水やりの仕方も変わります。週に何回水やりをする、というような目安でなく、鉢の状態を見ながら水やりをする。これが基本です。この方法に適した鉢の種類は、駄温鉢、プラ鉢、ビニールポットです。素焼き鉢は、用土の表面が湿っていても中はカラカラに乾いていることがありますので、この方法にはあまり向いていません。遮光をかなり強めにし、温度や湿度が高い環境で、水やりを毎日していると、茎は徒長し、葉ばかりが大きくなり、捕虫袋がとても小さくなってしまいます。

ちなみに、葉が柔らかく茎の徒長も速い傾向の種類(カーシアナやミラビリス、交配種など)は水を多めにやってもよく、硬めの葉を持ち、茎の徒長も遅いタイプ(トランカータ、ビーチー、アラータ、マキシマ、ベントリコーサなど)は葉水中心の潅水方法がいいようです。

「夏越し」の方法

最近の日本の夏は異常と言って良いくらい暑いのが現状です。35℃を超えるような日も多くあります。ネペンテスの自生地には35℃を超えるような場所はほとんどありません。そんな高温の夏の昼間は水やりせず、なるべく夕方以降の涼しくなってきた時間帯に行いましょう。また、熱帯高山性の涼しい環境を好む種などは、いくら遮光などで対処しても、日本の夏は暑すぎて枯死してしまいます。おおむねですが、標高1500m以上の場所に生息する種類のほとんどは、冷房装置のある環境での栽培が基本となります。ただし、植物用の冷房装置は高価で電気代などのコストも非常に高いため、一般の家庭ではあまり現実的ではありません。その際は、サラセニアの項目で解説した〈鉢ごと日向土で埋め込む夏越し方法/P.106〉などを試してみてください。

他にも、定期的なミストをしながら扇風機で冷やす方法などもあります。いかにして1℃でも鉢を冷やすか……というところが夏越しの勝負です。こうした工夫をすることで、夏の暑さに弱い種でも、やや傷んではしまいますが、枯死させずに夏を越せるものもあります。

また、屋外の風通しの良い日陰や半日陰で乾かし気味の水管理で補う方法もあります。乾かし気味にすることで、通気性を確保し、根のダメージを和らげます。ただし、低地性の比較的暑さにも耐えるウツボカズラに、あまりこの方法を用いると、良い捕虫袋が付かない場合があるので注意してください。

「冬越し」の方法

ネペンテスを生育させるには、温室や家の室内など、加温できる場所が絶対条件です。私のところでは最低温度17〜18℃に設定しています。正直に言うと20℃はほしいのですが、ボイラー使用の場合、燃料コストがかかりますし、また、温めるほどに乾燥が激しくなってしまいます。また、低地性の

種類はよく育ちますが、高地性の種類は加温しすぎるとバテ気味になってしまうなどの問題があります。扱う種類が低地性と高山性が混在するなら、中間的な温度にしたほうが無難です。私のところでは冬から春の温室では高山性の種類がよく育ち、夏場は低地性がよく育ちます。

家庭での冬越しには、水槽を利用する方法があります。まず、熱帯魚用のサーモスタットとヒーター、電照を用意し、ヒーターが完全に水没する10cm程度まで水を入れます。そして、サーモスタットで水温を28〜30℃ほどに設定して温めます。そこに、植物の鉢が濡れないように台などを置くか、漬かってもいいようにアルミホイルなどで鉢を巻き、植物を入れて水槽のフタを閉めます。すると水槽内の水温が上がるにつれ、空気も温まってきて、一定の温度を保つことができます。サーモスタットで制御できるのは、水槽にためた水の温度だけなので、水槽の壁に温度計を付けて水槽内の空間温度を確認しながら、サーモスタットで水温をコントロールしてください。基本的に、空間温度15℃以上であればネペンテスの多くは大丈夫です。あとは照明を水槽の上にセットすれば完了です。湿度が高くキープされるので、水やりが楽です。11月から5月頃まで室内で管理します。植物が大きくなり、また数量が多い時はワーディアンケース（室内用小型温室）利用をおすすめします。さまざまな大きさやタイプがありますので、好みに応じて導入するのもよいでしょう。食虫植物の愛好家にはこのケースでコレクションを増やし、上手に栽培を実行されている方も多いです。植物園などの大きな温室よりも温度設定がシビアにできるのでよい場合もあります。

また、生育などは無視して、とにかく越冬だけさせることを目標とした方法としては、鉢ごと透明のビニール袋や衣装ケースなどで包んでしまい、室内のなるべく暖かく明るい場所に春まで何もせずに置いておく、というやり方もあります。湿気は逃げないので水やりは必要ありません。私も昔、マンションで、この方法を使ってマキシマ、ベントリコーサ、アラータを越冬させたことがあります（かなり傷みますが）。ただし、種類によっては温度が足りず枯れてしまうものもあります。

ビニール袋を使った冬越し

その他の日常の管理

ダニなどに効くサンマイトフロアブル

害虫への対策

虫を食べてしまう食虫植物も、害虫や病気の被害を受けます。ネペンテスは特にデリケートで、知らない間に害虫のダメージを受けることが多いため注意が必要ですので、くわしく解説します。温度や水、日照などが適正で順調に生育していたものが、だんだん弱ってきた時などは、まず害虫や病気を疑ってください。害虫で厄介なのがスリップス、ダニ類、カイガラムシです。害虫の種類によって症状は異なりますが、複数の害虫が同時に加害をしている場合もあります。一番多いのはダニ類、スリップスで、肉眼では見えないほど小さいものもあります。生長点（新芽）の生長が止まり、茶色っぽい斑点ができたり、錆びたような部分が現れる、あるいは捕虫袋が付き始めの

段階で肥大が止まり、未熟な状態でフタが開いたり、そのまま茶色く枯れてしまう、などの症状はこれらの害虫を疑って間違いないでしょう。症状が出てきたら早めに市販の農薬で防除します。ダニ類、スリップス両方に効果のある農薬(サンマイトフロアブル、ベニカなど)がありますので、記載してある希釈倍率を間違わないように注意して使ってください。薄すぎると効き目が弱くなりますし、濃すぎると株にダメージを与えます。カイガラムシは葉の付け根や新芽、根などに白い小さな綿ゴミ状の虫体が付いているので肉眼でわかります。蝋物質を出しながら吸汁加害をします。カイガラムシが付くと株全体が衰弱し、黒いススかびも発生し、枯死に至ることもあります。発見したら、カイガラムシ用の殺虫剤(スプラサイド、アプロードなど)で駆除します。

カイガラムシ用殺虫剤 スプラサイド

噴霧器で薬剤を散布する様子

線虫への対策

虫の部類ではありませんが、厄介なのが線虫(ネマトーダ)です。生育期間中なのに下葉の枯れ上がりがひどかったり、ずっとギクシャクとしたような感じでグズって大きくならない、捕虫袋も付きにくい病気や害虫の症状とは似ているようでなにか違う……というような原因不明の症状の時は、この根に寄生する線虫を疑いましょう。鉢から株を用土ごと抜いてみて、黒く細い根ではなく、やや色の違う太めの主根や側根を見ます。もし加害を受けていると、所々に膨れて瘤のような部分が見つかります。放置しておくといずれ株が衰弱し、枯れる原因にもなります。また、線虫は潅水などの水で移動できるので、同じ棚の株や汚染された株の下に置いてある株も加害を受けます。顕微鏡でないと確認できないようなミミズ状の害虫で、根に入って寄生し、繁殖します。一度加害を受けると、残念ながら薬剤では完全に処理することができません。脅かすつもりはないのですが、これにかかるともうほぼ諦めるしか方法はありません。かかってしまった時は、水が移動できないように加害を受けた株を隔離し、枝を切って挿し木にします(挿し木の方法は、〈ネペンテスを増やす/P.113〉の項目を参照)。挿し木が成功して生育を確認出来たら、親株は処分します。このような事態になる前に予防する方法として大切なのは、古い株は挿し木や植え替えなどでしっかり更新してやることと、清潔な鉢や用土を使用することです。古鉢や水苔の再利用をする時は、必ず熱湯消毒を行ってください。また、地面に直接栽培品を置くことも危険です。水やりや雨水などで、地面から土や泥などの跳ね返りがあり、この泥の中に線虫が潜んでいることがあるからです。私も過去の経験から、この線虫対策は特に気を遣っています。新たに入手した株は必ずしっかり確認することをおすすめします。

病気への対策

虫ではありませんが、多湿な条件で、通気性の極めて悪い場所での管理となると、観葉植物の病気に似た症状が出ることがあります。タンソ病やカッ

肥料のやり方

肥料はほとんど必要ありません。

枯れ葉の手入れ

完全に枯れてしまった袋や葉を定期的に落とす程度で構いません。

ネペンテスを増やす

ネペンテスは実生繁殖もありますが、あまり一般的ではなく、主に挿し木で増やします。挿し木の方法には、大きく分けて「用土挿し」と「水挿し」に分かれます。

パン病、灰色カビ病のような、葉や新芽が枯れ上がったり、不規則な病斑が出たりするのです。小さな苗や挿し木苗の茎も枯れる事があります。冬場〜春の締め切った温室や梅雨時期などには注意が必要です。病名はなかなか判断しにくいのですが、このような症状が出た時は、現状の栽培環境を少し見直しましょう。しっかり植物体が乾いている時間帯はあるか、水をやりすぎていないか、光の条件はどうか、通気はあるか、余計な肥料を与えていないか、など、考えられる条件を改善することで必ず良くなります。こうした病状が出ていながら病名がよく解らない場合は、複数の病気に効果がある観葉植物用の薬剤使用(トップジンなど)をおすすめします。殺虫剤、殺菌剤ともに、散布するときはなるべく夕方など暑くない時に行い、換気をよくして行います。その際、株全体が濡れるようにしてください。散布した薬液が乾くまで水やりはしません。

用土挿しの方法

一番確率がよいのは鹿沼土に挿す方法です。私が昔、試行錯誤しながら得た方法で、お付き合いのある仲間の皆さんにもオススメしたところ、発根が難しい食虫植物以外の園芸植物でもかなりの確率で成功しています。

① 葉を1〜2枚付けて茎を切ります。なるべく長めに切ってください。バケツの水の中で切ることで、切り取った茎の断面から水が浸透し、水が通る道が開くため効果的です。

② 葉を半分ほど切ることで水分の蒸散を抑えるようにしてから、鉢底に日向土の中粒を入れた鹿沼土に挿します。この時、発根促進ホルモンを塗ってもよいでしょう。

③ 挿したらすぐに濁りが鉢底から出なくなるまでたっぷりと潅水し、その後2週間ほどは浅い腰水で管理します。

2週間たったら腰水をやめて、鹿沼土の表面が少し白くなってきたのを目安に潅水しましょう。おおむね3カ月くらいすると、しっかりした根が出てきています。新芽が出てくるのが合図です、新芽が出たら頃合いを見計らって移植します。川砂や、赤玉土と桐生砂を混合したものに挿すのも可能ですが、成功率としてはこの鹿沼挿しが最もよいと思います。

水挿しの方法

水挿しは葉を2～3枚付けて茎を切り取り、茶色の瓶や花瓶などに水を入れて挿すだけです。温度条件が合えばいつでもできます。種類によりますが、早ければ2カ月ほどでかなり発根し、ポットなどに移植できます。茎の徒長が早い種類には特に有効です。

ネペンテスの植え方

基本的に一番良く生育するのが水苔です。慣れてくると鹿沼や日向、ピートモスなどを混合させた培養土で栽培することもできますが、水苔は保水性、通気性、pHなどのバランスがいいようです。ニュージーランド産が少し高価ですが、繊維が長めで、長期間腐敗しにくいなどの利点があります。私のところでは、ほとんどの食虫植物に水苔を使っています。用土が古くなり、指で押さえるとふかふかして空洞ができていそうな感触があったり、水苔にヌラやコケが多発し、すぐに乾いてしまうなどの状態になったら、植え替え時期の目安です。

① 鉢の底から4～5分の1ほど日向土（ボラ土、砂利などでも良い）の中粒を入れます。

② 株がぐらつかない程度の固さで十分に湿らせた水苔を詰めながら植えていきます。この時、鉢の縁とほぼ同じ高さに地上部が出るように、指先で固定しながら、空間を埋めていくように詰めます。

③ 完成

水苔を詰める固さ具合は、やわらかすぎず、固すぎず、言葉ではとても伝えづらいのですが、目安としては植えた後、鉢の底から水が流れ出るまで灌水し、鉢の表面にたまった水が、おおむね4秒～6秒くらいで染みこんで鉢上から見えなくなる程度の詰め方が理想です。

ネペンテス 管理カレンダー

	1月	2月	3月	4月	5月	6月	7月	8月	9月	10月	11月	12月
場所 遮光	温室室内 遮光なし						屋　外 遮光あり	※			温室室内 遮光なし	
繁殖							挿し木					
防除 予防 目安				1回 殺ダニ 殺虫			1回 殺ダニ 殺虫			1回 殺ダニ 殺虫		

※温室などの場合は窓全開。

DIONAEA / DROSERA

ハエトリソウ属・モウセンゴケ属の育て方

動く食虫植物として、子どもたちにも人気のあるハエトリソウ。そして、最近ではようやく趣味家や専門業者、ネット通販などでかなり珍しい種類も入手できるようになってきたモウセンゴケ。ともに園芸店にもよく並ぶ比較的入手しやすい食虫植物です。一般的に入手しやすいタイプの扱い方を説明します。この2つはおおむね同じような環境で生息するものが多いため、育て方には共通点が多くあります。

【育て方のポイント】
◎明るくやや強めの光を好む。
◎3cm～5cm程度の腰水で管理。
◎冬は霜よけ程度の場所に置いてやる。

日照の管理

ハエトリソウ

ハエトリソウは基本的に日照を好むので、年中屋外の明るい場所で管理します。生育期間は3月中旬～11月頃です。真夏は、暑さを緩和してやることが大切ですので、6～9月は50％程度の遮光をするか、半日陰のもとで管理します。夏以外の季節は直射日光の下、よく日に当てて育ててください。

モウセンゴケ

モウセンゴケには非常に多くの種類があり、世界中の亜寒帯、温帯や熱帯などに様々に分布しているので、一概には説明できませんが、基本的には日照を好む種類がほとんどです。入手しやすいタイプの多くは、直射日光の下でも大変良く育ちます。特にアフリカやニュージーランド、オーストラリア、アジア、アメリカなどの原産種は、一部を除き通年直射光を好みます。ただし、日本のような夏の猛暑状態ではバテる系統もありますので、調子を見て弱ってきたら少し遮光をしてあげましょう。育てやすく入手しやすい種類としては、カペンシス（アフリカナガバモウセンゴケ）、ビナータ（ヨツマタモウセンゴケ）、フィリフォルミス（イトバモウセンゴケ）、スパスラタ（コモウセンゴケ）、ハミルトニー、アデラエなどがあります。どれも温帯もしくは亜熱帯地域の種類です。冬場も地上部は休眠しますが、無加温、もしくは霜よけ程度で越冬でき、繁殖もしやすいです。

水やりの方法

ハエトリソウ、モウセンゴケともに、常に水が必要なので、受け皿に水をためて管理する腰水栽培をします。冬場に地上部が枯れて休眠状態になっても、水は切らないほうがいいです。基本はサラセニアとまったく同じなので、サラセニアと寄せ植えすることもできます。詳しくは〈食虫植物の寄せ植え/P.121〉の項目を参照。

夏越し・冬越しの方法

「夏越し」の方法
ハエトリソウ、モウセンゴケともに真夏の高温による水温の異常上昇を緩和してやることが大切です。台などの上に置き、ある程度風通しのある場所を選んで白い受け皿を使用すると、かなり良い状態で栽培できます。実際に、無遮光下で10号くらいの白い受け皿にハエトリソウ、モウセンゴケ類など5株を地面から60cmくらいのところで管理してみたところ、すべて順調で美しく大きくなりました。そこは建物の南側で日当たりがよく、比較的風通しのいいところでした。

「冬越し」の方法
冬場、多少凍っても大丈夫なのですが、霜よけ程度の場所に置いてやるとよいでしょう。

夏越しの様子

その他の日常の管理

害虫への対策
ハエトリソウ、モウセンゴケにも害虫被害はありますが、それほど多くはありません。スリップス、カイガラムシ類、まれに蛾の幼虫、ハダニが付くことがあります。兆候が見られたら、早めに薬剤散布で対応しましょう。ただし、モウセンゴケは葉が巻いてしまうなどの薬害が発生することがありますので、希釈倍率を間違わないように注意してください。
病気はモウセンゴケにはほとんどありませんが、ハエトリソウには発生することがあります。梅雨時期〜盛夏の高温と多湿の蒸れで弱っている時期に、中心部分が黒く腐る、菌による腐敗らしき症状が出て枯れることがあります。これは3カ月に一度くらい殺菌・殺虫混合の薬を散布することで予防できます。

多湿で腐敗したハエトリソウ

肥料のやり方

肥料はほとんど必要ありません。

枯れ葉の手入れ

枯れ葉や黒くなった捕虫器官をハサミなどでまめに除去してやりましょう。雑菌や害虫の発生予防になります。

ハエトリソウ・モウセンゴケを増やす

ハエトリソウは主に株分けで増やします。冬の休眠時期の植え替えと同時に、子株を外して新たに植えてやります。親株が小さい時は、無理に分けないほうがいいでしょう。モウセンゴケも主に株分けですが、一部の種類は根挿しで増やします。または実生繁殖で主に増やす種類もあります。

株分けで増やす

根元を持ってゆっくりと子株を外しましょう。

根挿し

モウセンゴケのビナータ、アデラエ、ハミルトニーなどの種類は根を1〜2cmほど切って、水苔や鹿沼土に浅く埋めます。腰水しておくと約1カ月ほどで不定芽が出てきて増えます。粘着液が出てきたら移植しましょう。

実生繁殖

モウセンゴケのカペンシスやフィリフォルミスなどのよく開花する種類は、たくさん種子を出します。開花後、莢が茶色になってきた頃に花茎を下向けにして軽くたたくと、小さな種子が出てきます。とった種は、覆土せずに刻んだ水苔などに播いて、雨が当たらないところで腰水管理します。季節によりますが、1〜2カ月で発芽してきます。しばらくそのまま管理し、粘着液が出てきたら移植しましょう。

ハエトリソウ・モウセンゴケの植え方

植え方、用土など基本はサラセニアとまったく同じです。詳しい解説はサラセニアの項目を参照してください。サラセニアより小さい種類が多いので指先でやさしく丁寧に行いましょう。またハエトリソウの根は細いので先に水苔を巻きつけてから植えてください。

買ってきたハエトリソウやモウセンゴケを長持ちさせる方法

市販されている多くのハエトリソウやモウセンゴケは、保水性の強いピートモスを中心した用土に植えられています。もちろんそのままでもしばらくは栽培できますが、この状態で腰水を続けると内部が発酵状態となり、悪臭を放つほどになってしまいます。こうなると根を傷め、枯れる危険性が高くなります。家庭で長く育てるためには、一度用土を水で流して、全部、あるいは部分的に取り除き、植え替えしてみてください。

ハエトリソウ管理カレンダー

	1月	2月	3月	4月	5月	6月	7月	8月	9月	10月	11月	12月
場所 遮光	屋外 遮光なし					屋外半日陰か50%遮光 風通し				屋外 遮光なし		
水	浅い腰水か乾けば与える						浅い腰水					
繁殖	株分け植え替え											株分け 植え替え
防除 予防 目安					1回 殺ダニ 殺虫	殺菌			1回 殺ダニ 殺虫			

モウセンゴケ管理カレンダー（カペンシス、ビナータの例）

	1月	2月	3月	4月	5月	6月	7月	8月	9月	10月	11月	12月
場所 遮光	屋外霜よけか室内 遮光なし			屋外 遮光なし			屋外遮光なし または半日陰			屋外 遮光なし		
水						腰水						
繁殖	休眠		出芽				生育					休眠
防除 予防 目安					1回 殺ダニ 殺虫	殺菌			1回 殺ダニ 殺虫			

PINGUICULA

ムシトリスミレ属の育て方

栽培が比較的簡単なムシトリスミレの育て方を2系統に分けてそれぞれ説明します。基本的に、この方法のどちらかに準ずる種類が多いです。ひとつはモラネンシス（アシナガムシトリスミレ）という種名のとてもバラエティの多い系統です。もうひとつは長めの葉を持ち、葉先から小苗を出しながら増えて、プリムラのような可愛らしい花を咲かせるプリムリフロラと呼ばれる種類です。

【育て方のポイント】
◎60％ほどの遮光下のやや日陰を好む。
◎モラネンシスは浅め、プリムリフロラは深めの腰水で。
◎冬、モラネンシスは室内で、プリムリフロラは霜の当たらない程度の屋外または室内で。

日照の管理、水やり、夏越し・冬越しなど

モラネンシスの場合

春から秋までは屋外の雨が当たらない場所、水槽もしくはワーディアンケース（ただし密封はしない）などに置き、60％ほどの遮光下で管理します。冬は凍らないように室内か温室、ワーディアンケースなどに入れ、明るい場所で、最低温度5℃以上を確保できる場所が必要です。また、この仲間は用土の加湿を嫌います。そのため、生育期間中は浅めの腰水、または用土の表面が乾いたら植物体にあまりかからないように水やりをしてください。夏の昼間はなるべく用土がカラカラになっているような状態が好きで、夕方から湿度を上げてやったり、霧吹きをしてやる方法をとると調子が良くなります。

ただし、11月頃から乾季（冬芽）の生育状態となるため、生育を鈍らせ小さくなっていきます。最終的には多肉植物のように丸く小型のロゼット状態になります。この時期はほとんど潅水はせず、空中湿度を保つくらいにしましょう。ロゼット状態の葉に水がたまると腐ってしまうので注意が必要です。翌年の春以降、葉を展開し始めたら通常潅水にします。

プリムリフロラの場合

モラネンシスにほぼ準じますが、生育期間中は比較的深い腰水をキープしてやると調子が良いです。また、ムシトリスミレの中では低温にも強いほうなので、凍らない場所であれば越冬できます。冬芽は形成しないので、腰水をしたままの管理をします。夏場に異常に水温が上がらないように注意しましょう。

How to

その他の日常の管理

害虫への対策
病害虫はほとんど見あたりません。

肥料のやり方
肥料はほとんど必要ありません。

枯れ葉の手入れ
枯れ葉を除去したり、用土の表面にヌラが出てきたら汚れた部分だけを除去し、新しい用土を追加してやりましょう。

ムシトリスミレを増やす

モラネンシスなどは葉挿し、プリムリフロラは不定芽で株分けを行うとよいでしょう。

ムシトリスミレの植え方

モラネンシスは夏に用土が加湿になると、中心から腐ってしまうことがあります。この仲間は根がほとんど無く、地上部から水分を得ているといっても過言ではないような性質です。通気性を良くして乾きやすいコンディションで植えましょう。写真はプリムリフロラの例。

① 根の周囲を水苔で巻きます。
② 周囲を砂利系で植え込みます。

モラネンシス類 管理カレンダー

	1月	2月	3月	4月	5月	6月	7月	8月	9月	10月	11月	12月
場所 遮光	室内 遮光なし			室内 遮光あり		屋外 遮光あり 風通し			屋外 遮光あり		室内 遮光なし	
水		霧吹き程度				浅い腰水					霧吹き程度	
繁殖				葉挿し							株分け 植え替え	
防除予防目安						殺菌 殺虫				殺菌		

プリムリフロラ 管理カレンダー

	1月	2月	3月	4月	5月	6月	7月	8月	9月	10月	11月	12月
場所 遮光	凍らない場所 遮光なし			屋外 遮光なし	屋外 遮光あり	屋外遮光あり 風通し			屋外 遮光あり	屋外 遮光なし	凍らない場所 遮光なし	
水	浅い腰水					深い腰水				浅い腰水		
繁殖						不定芽株分け			不定芽株分け			
防除予防目安						殺菌 殺虫			殺菌			

食虫植物の寄せ植え

サラセニア、ハエトリソウ、モウセンゴケは、とても生育環境が似ており、また食虫植物はお互い喧嘩しあわないため、寄せ植えにすることができます。むしろ寄せ植えにすることで、保湿効果や蒸散による冷却効果などもあり、単体で植えるより良い成績となることもあります。

① まず、25cm前後の受け皿付きの鉢、日向＋(細粒、中粒)、水苔、生苔を用意します。表土に彩りが欲しい場合は化粧砂など。

② 植えこむのはサラセニア、モウセンゴケ、ハエトリソウです。苗の高低を利用して立体的な寄せ植えを目指します。

③ 鉢底に中粒の日向土を敷きます。苗の高さ調整は水苔を敷いて行いましょう。

④ まずは一番背が高く存在感のあるサラセニアを中央奥気味に置き、寄せ植えのレイアウトの軸にします。

⑤ サラセニアの苗のまわりに水苔を詰め、固定します。

⑥ サラセニアを中心にとりまくように、背の高い植物から植えていきます。

⑦ 背の高いモウセンゴケを植えたら、細粒の日向土を隙間に詰めて固定します。

⑧ 最後に一番背の低いモウセンゴケやハエトリソウを植え、細粒の日向土を隙間に詰めて固定します。

⑨ 仕上げに生苔を表面に張ったり、大きめの軽石を置いたりします。こうすることで、自生地風の雰囲気が出ます。また、生苔は湿度を保ってくれ、軽石は蒸散効果で鉢上の温度を下げてくれます。

⑩ 鉢底から流れ出る水が透明になるまでみじんを流しましょう。

⑪ 受け皿の上に置いて腰水にして完成。深さ2〜3cm程度の受け皿がちょうど良いです。

FAQ

食虫植物FAQ よくある質問と その解決法

Q 食虫植物には餌として虫をやらなくてはいけませんか？

A 初心者に多い勘違いとして、虫を食べる植物だから、虫を餌として与えなければいけないと思い、捕虫袋に餌を入れる方もまれにいます。食虫植物はたとえ虫が捕らなくとも問題なく育ちます。逆に、捕虫袋に塩分がある物質が入ったり、油分（脂肪分が強いなど）が入ると袋の半分から上がすぐに枯れてしまったり、袋の底から腐ってしまうことがあるので注意してください。

Q ネペンテスの葉の茂りや枝の伸びはいいのですが、袋が付きません。

A 日照不足、水のやりすぎ、肥料を与えてしまったため、などの原因が考えられます。生育時期であれば、今よりも明るい場所に移動してみましょう。また、冬場の室内などでは光が不足がちになります。外に出すことができないため、ある程度仕方がないのですが、ライトを追加したり、潅水を抑えることで節間の伸びを抑えることも重要です。また、茎が徒長しすぎる時は、葉を5枚くらいは残して茎を剪定すると、脇芽が出て袋の付がよくなります。また肥料はできるだけ与えないでください。

Q ネペンテスの袋がすぐに枯れてしまいます。または未熟なまま付かずに茶色くなってしまいます。

A 湿度不足、温度不足、害虫症状、または袋に故意に餌を入れた、などが考えられます。
初夏や秋、強い暖房や冷房の元では、湿度が足らなくなります。朝と夕方に葉水とともに通路などに水を打って湿度を上げてやりましょう。種類によりますが温度が足りないと袋は付きません。やはり順調に付けさせるには20℃はほしいところです。最低温度が10℃以下になる状態で多湿状態に置くと、枝が枯れたり、葉が傷んで黄ばみ、または枯れ上がることもあります。未熟なまま付かないのは、P.111～112したスリップスやダニなどの害虫の加害による事が考えられます。防除をおすすめします。

Q ネペンテスを明るい場所に移動したら、葉が黄色くなってしまいました。

A 冬が終わって暖かくなってきた時、急に室内やケースから強力な日照状態に置くと、葉やけします。必ず50～60％の遮光がある場所に置いてから徐々に慣らしてください（冬～初春のガラス越し直射は問題なし）。

Q サラセニアの生育期間中なのに捕虫葉が小さくなったり、出なくなりました。

A まずは光が十分に当たっているかを考えましょう。当たっているのにもかかわらずこの症状が出る時は、多くの場合ハダニやスリップスの被害を受けていることが考えられます。この場合、枯れ上がりも目立つようになります。一度薬剤散布を夕方の涼しい時に実行し、様子を見ます。それでも改善されない場合は、水温が高くなりすぎる状態が続いて生育を止めていることが考えられます。腰水を浅めにするか、通常潅水に切り替えてみましょう。

Q 生育期間なのに葉の枯れ上がりがひどいです。

A 購入したサラセニアの多くは、ピートモスや田土が中心の用土で出荷されているため、夏の炎天下に腰水の状態が続くと、蒸れからくる根のダメージを負っている可能性があります。夏場に派手な植え替えをするのは危険なため、鉢から株を用土ごと抜いてみて、底の用土をある程度落として、日向土を代わりに入れてやりましょう。日向を通過した水が用土を湿らせる方法にしてやると回復してきます。また、一度水やりを忘れてしまって、捕虫葉が完全に萎れていた場合、先端の部分が枯れた状態になります。これは元に戻らないので、新芽に期待します。

Q 葉先からでなく、葉の真ん中あたりから枯れてきてしまいました。害虫でしょうか？

A 害虫ではなく、夏に餌の捕虫のしすぎで、中の虫が蒸れて葉を傷めている状態です。夏場はよく起こることなので、そうなってしまった葉は真ん中あたりからカットしてください。また、フラバやミノールのような夏の暑さにやや弱い種も、夏にこのような症状が出ることがあります。その際は、腰水をやめ、通常潅水に切り替えて様子をみてください。

Q ハエトリソウを購入して育てていたら黒くなって弱ってきてしまいました。

A 室内で管理していませんか？ ハエトリソウは生育期間中、屋外の日当たりの良い場所を好みます。盛夏には、暑さや蒸れを防ぐために、遮光下に置いたり、風通しの良い所で管理します。また、暑さと用土の通気性不足、腐敗による衰弱が考えられます。育て方の項を参照し、砂利を底に入れたり、用土をある程度除去して水苔などで植え、しばらくは半日陰で管理し、回復をはかります。さらに、頻繁に触って閉じさせたり、大きな餌を故意に捕獲させると捕虫葉が枯れたり、株が衰弱することがあります。なるべく自然に任せましょう。
11月頃からだんだん小さくなり休眠状態になります。捕虫葉も出なくなりますが、これは自然なので問題ありません。

Q モウセンゴケの葉がよじれて、粘着液も出ていないようなのですが。

A これもよく夏場に見られる光景です。深い腰水で熱湯状態が続くと弱ってしまいます。鉢の上から底までがすべて培養土であればなおさらです。必ず鉢底に適量の砂利（日向など）を入れ、砂利を通過した水が用土を湿らせることを守ってやります。砂利の量は腰水よりも高くなる量にします。この時、用土の表面のヌラがひどいようなら、表面部分だけでも除去し、新しい水苔などを敷いてやるとよいでしょう。
夏の間なら50％程度の遮光下に置くのも良いでしょう。
また、大雨の後もしばらく粘着液が止まります。なお、ペットなどの尿がかかると、とたんに枯れてしまうことがあります。

Q ムシトリスミレが黒くなり枯れてしまいました。

A めったに出回らないムシトリスミレ、特にモラネンシス系の交配種や一部原種が売られていますが、これらに多いトラブルです。水やりの仕方に注意しましょう。購入してそのままの培養土で構いませんが、とにかく鉢の表面が乾いて白っぽく（わかりにくい場合もありますが）なるまで待ちます。指先を少し用土に入れてみて、湿っているようであれば、まだ水はいりません。腰水の場合、受け皿の水がなくなっても、用土が乾くのを待つのがポイント。また、夏場は風通しの良い、遮光下で管理しましょう。

How to

食虫植物の巨人たち
LEGENDS

日本でも長期にわたって研究が進められてきた食虫植物。その歴史の中から特に筆者が影響を受けた先人たちを紹介します。

SADASHI KOMIYA
小宮定志

食虫植物研究会会長などを歴任し、日本における食虫植物の研究、栽培、普及に努めた人物。多くの出版物があり、特に1994年発行『食虫植物 その不思議を探る』（食研事業出版）は食虫植物のバイブルとして知られています。

CHIAKI SHIBATA
柴田千晶

現食虫植物研究会会長、園芸文化協会参事。国内はもちろん、海外の自生地調査も多数実施。特に南米ギアナ高地の食虫植物に関しては、日本人として初めて本格的な現地調査を行いました。多数の調査を重ね、この地域の植物に関する知識は世界屈指。

SHIGEO KURATA
倉田重夫

"世界の倉田"といわれる世界的に有名な研究者。特にネペンテスに関する現地調査や種類の同定について、世界中の研究者からの依頼を受けています。ネペンテス ペルタタなど、同定、命名した種類は数知れず。現在も精力的に活動しています。

YASUHIDE NAKAGAWA / TAKUYA YAMAMOTO
中川泰秀・山本卓哉

ネペンテス栽培の達人として知られる両氏。まだ日本ではほとんどネペンテスが知られていなかった頃から、2人で現地調査にも出かけており、その独特の栽培理論に筆者も大変影響を受けています。多数の交配種も作出し、中川氏はネペンテス ラバ、山本氏はネペンテス オトクニの作出などで知られます。

Column

SPOT & BOOK GUIDE
もっと食虫植物を楽しむために

植物園で食虫植物を楽しむ

（公財）兵庫県園芸・公園協会 **兵庫県立フラワーセンター**　　兵庫県加西市豊倉町飯森1282-1　☎0790-47-1182

筆者が勤める兵庫県加西市にある自然公園。園内には、日本では初めてとなる食虫植物専用の常設温室があり、ネペンテス、サラセニアを中心に約100種類の食虫植物を常時展示している。他にもベゴニアやストレプトカーパスなど、国内屈指のコレクションを誇っています。

欲しい食虫植物を手に入れる
山田食虫植物農園

通信販売専門の農園で、広大な育成温室で低山性、高山性のウツボカズラを中心としたあらゆる食虫植物を栽培、販売している。初心者からコレクターまで対応できる品揃えは日本一であろう。　☎082-509 5044　http://y3 exotics.com

研究会に入って知識を深める
食虫植物研究会 (IPS, JAPAN)

1949年設立の世界で最も古い食虫植物として知られる歴史ある研究会。年4回の会合の他、自生地への旅行なども企画。
http://ips.2-d.jp

日本食虫植物愛好会 (JCPS)

ほぼ毎月例会が行われているという活発な活動を行う会。入会金、年会費も無料という参加しやすさがうれしい。
http://homepage3.nifty.com/jcps/

食虫植物の名著たち

**食虫植物
その不思議を探る**
（良朋事業出版）
小宮定志

食虫植物の歴史や概要、個々の種類の説明や栽培などを詳しく専門的に解説してある。

原色 食虫植物
（家の光協会）
近藤勝彦・近藤誠宏

当時まだ栽培されていなかったような種までオールカラーで紹介され、栽培法も詳しい。

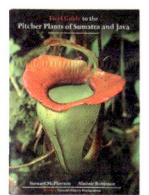

Field Guide to the Pitcher Plants of Sumatra and Java
Stewart McPherson
Alastair Robinson

海外の研究者が自生地を巡って撮影した写真集。新種も数多く掲載。

Index

索引

Brocchinia reducta	ブロッキニア レダクタ	101		*Nepenthes ampullaria* 'Sumatra green'	アンプラリア スマトラ グリーン	044
Cephalotus follicularis	セファロタス フォリキュラリス	101		*Nepenthes ampullaria* 'Tricolor #1'	アンプラリア トリカラー #1	042
Cephalotus follicularis 'Big type'	セファロタス フォリキュラリス ビッグタイプ	101		*Nepenthes ampullaria* 'Tricolor #2' (Yamamoto)	アンプラリア トリカラー #2	042
Dionaea muscipula 'Big mouth'	マスシプラ ビッグマウス	095		*Nepenthes ampullaria* var. *vittata* × albomarginata	アンプラリア×アルボマギナタ	078
Dionaea muscipula 'Funnel trap'	マスシプラ ファンネルトラップ	095		*Nepenthes ampullaria* var. *vittata* 'Kuching dark'	アンプラリア クチン ダーク	044
Dionaea muscipula 'Old type'	マスシプラ オールドタイプ	095		*Nepenthes ampullaria* var. *vittata* 'Vigor'	アンプラリア ヴィゴール	044
Dionaea muscipula 'Shark teeth'	マスシプラ シャークティース	095		*Nepenthes ampullaria* 'Williams red'	アンプラリア ウイリアムス レッド	043
Drosera adelae	アデラエ	087		*Nepenthes baramensis*	バラメンシス	046
Drosera aliciae	アリキアエ	087		*Nepenthes* 'bellii × merrilliana'	ベリーメリリアナ	045
Drosera binata var. *dichotoma*	ビナータ	087		*Nepenthes bicalcarata*	ビカルカラタ	045
Drosera binata var. *multifida*	ビナータ ムルティフィダ	088		*Nepenthes bicalcarata* × *ampullaria* (Natural hybrid)	ビカルカラタ×アンプラリア	046
Drosera burmannii	ブルマニー	089		*Nepenthes bicalcarata* × *rafflesiana* Nivea	ビカルカラタ×ラフレシアナ ニベア	078
Drosera capensis 'Alba'	カペンシス アルバ	088		*Nepenthes burkei*	ブルケイ	046
Drosera capensis 'Hairy'	カペンシス ヘアリー	089		*Nepenthes clipeata*	クリペアタ	047
Drosera capensis 'Narrow leaf'	カペンシス ナローリーフ	088		*Nepenthes clipeata* × *reinwardtiana* (Natural hybrid)	クリペアタ×レインワルドティアナ	047
Drosera capensis 'Red'	カペンシス レッド	089		*Nepenthes* 'clipeata × truncata'	クリペアタ×トランカータ	078
Drosera cuneifolia	クネイフォリア	089		*Nepenthes copelandii*	コペランディ	046
Drosera filiformis 'Red'	フィリフォルミス レッド	088		*Nepenthes* 'Dainty Koto'	デインティ コト	079
Drosera hamiltonii	ハミルトニー	090		*Nepenthes distillatoria*	ディスティラトリア	047
Drosera intermedia	インターメディア	091		*Nepenthes* 'Dominii' (Joseph Yeo)	ドミニー	079
Drosera madagascariensis	マダガスカリエンシス	090		*Nepenthes* 'Dyeriana'	ダイエリアナ	077
Drosera natalensis	ナタレンシス	090		*Nepenthes eustachya*	ユースタチア	048
Drosera neocaledonica	ネオカレドニカ	091		*Nepenthes eymae*	エイマイ	048
Drosera × *ordensis* (Shimada)	オルデンシス	091		*Nepenthes faizaliana*	ファイザリアナ	048
Drosera paleacea	パレアケア	092		*Nepenthes gracilis* × *bicalcarata* (Natural hybrid)	グラシリス×ビカルカラタ	049
Drosera paradoxa	パラドクサ	090		*Nepenthes gracilis* 'Black'	グラシリス ブラック	049
Drosera pulchella (Red flower)	プルケラ	091		*Nepenthes* 'gracilis Black × ventricosa Red'	グラシリス ブラック×ベントリコーサ レッド	079
Drosera regia	レギア	092		*Nepenthes gracilis* 'Giant'	グラシリス ジャイアント	048
Drosera rotundifolia	ロツンディフォリア	093		*Nepenthes gracilis* 'Kota Kinabalu' (Stripe lip)	グラシリス コタ キナバル	049
Drosera schizandra	シザンドラ	093		*Nepenthes gracilis* 'Kuching'	グラシリス クチン	050
Drosera scorpioides	スコーピオイデス	093		*Nepenthes gracilis* 'Sport'	グラシリス スポート	050
Drosera slackii	スラッキー	093		*Nepenthes* 'Henryana'	ヘンリアナ	079
Drosera sp.	sp.	092		*Nepenthes hirsuta*	ヒルスタ	050
Drosera spatulata	スパスラタ	092		*Nepenthes hispida*	ヒスピダ	050
Drosophyllum lusitanicum	ドロソフィルム ルシタニクム	094		*Nepenthes* 'Intermedia'	インターメディア	080
Heliamphora minor	ヘリアンフォラ ミノール	101		*Nepenthes kampotiana*	カンポティアナ	053
Heliamphora nutans	ヘリアンフォラ ヌタンス	100		*Nepenthes khasiana*	カーシアナ	053
Heliamphora tatei	ヘリアンフォラ タテイ	100		*Nepenthes macfarlanei* × *sanguinea* (Natural hybrid)	マクファラネイ×サンギネア	054
Ibicella lutea	イビセラ ルテア	100		*Nepenthes madagascariensis*	マダガスカリエンシス	054
Nepenthes × *hookeriana* 'Nakagawa'	フーケリアナ ナカガワ	052		*Nepenthes* 'Mastersiana Purpurea'	マスターシアナ プルプレア	081
Nepenthes × *hookeriana* × albomarginata	フーケリアナ×アルボマギナタ	080		*Nepenthes maxima* (Ito)	マキシマ	056
Nepenthes × *hookeriana* 'Green'	フーケリアナ グリーン	051		*Nepenthes maxima* 'Moluccas'	マキシマ モルッカ	056
Nepenthes × *hookeriana* 'Singapore'	フーケリアナ シンガポール	052		*Nepenthes maxima* 'Sulawesi'	マキシマ スラウェシ ナカガワ	056
Nepenthes × *hookeriana* Singapore × *thorelii* Ikeda	フーケリアナ シンガポール×ソレリーイケダ	080		*Nepenthes maxima* 'Sulawesi' (Red lip)	マキシマ スラウェシ 縁赤	057
Nepenthes × *hookeriana* 'Kosobe'	フーケリアナ コソベ	052		*Nepenthes maxima* 'Sulawesi Nakagawa'	マキシマ スラウェシ ナカガワ	057
Nepenthes × *kuchingensis* (Natural hybrid) #1	クチンゲンシス #1	054		*Nepenthes maxima* 'Superba'	マキシマ スーペルバ	057
Nepenthes × *kuchingensis* (Natural hybrid) #2	クチンゲンシス #2	054		*Nepenthes* × *merrilliana* #1 (Mino)	メリリアナ #1	058
Nepenthes × *trichocarpa* 'Old type'	トリコカルパ	072		*Nepenthes* × *merrilliana* #2	メリリアナ #2	058
Nepenthes × *trichocarpa* 'Red'	トリコカルパ レッド	072		*Nepenthes* × *merrilliana* #3 (Issei-en)	メリリアナ #3	058
Nepenthes alata	アラータ	037		*Nepenthes* × *merrilliana* #4 (Yamamoto)	メリリアナ #4	058
Nepenthes alata 'Green Luzon'	アラータ グリーン ルソン	038		*Nepenthes* × *merrilliata* 'Issei-en type'	メリリアタ 一正園	059
Nepenthes alata 'Luzon'	アラータ ルソン	038		*Nepenthes* × *merrilliata* 'Pink type'	メリリアタ ピンクタイプ	059
Nepenthes alata 'Mindanao'	アラータ ミンダナオ	038		*Nepenthes* 'Minami triumph'	ミナミ トライアンフ	081
Nepenthes alata 'Variegata'	アラータ ヴァリエガタ	038		*Nepenthes mindanaoensis*	ミンダナオエンシス	059
Nepenthes albomarginata	アルボマギナタ	039		*Nepenthes mira*	ミラ	059
Nepenthes albomarginata 'Dark' (Tanabe)	アルボマギナタ ダーク	040		*Nepenthes mirabilis* 'Kuching'	ミラビリス クチン	060
Nepenthes albomarginata 'Green'	アルボマギナタ グリーン	039		*Nepenthes mirabilis* 'Palau'	ミラビリス パラオ	060
Nepenthes albomarginata 'Kuching Bau' (Yamamoto)	アルボマギナタ クチン バウ	040		*Nepenthes mirabilis* 'Sulawesi'	ミラビリス スラウェシ	060
Nepenthes albomarginata 'Red'	アルボマギナタ レッド	039		*Nepenthes mirabilis* 'Thailand'	ミラビリス タイ	060
Nepenthes ampullaria 'All red' (Exotica)	アンプラリア オールレッド	040		*Nepenthes mirabilis* 'Winged form'	ミラビリス ウイングドフォーム	061
Nepenthes ampullaria 'Green Irian Jaya'	アンプラリア グリーン イリアンジャヤ	042		*Nepenthes* 'Mixta × veitchii Kosobe'	ミキスタ×ビーチー コソベ	081
Nepenthes ampullaria 'Hotlip'	アンプラリア ホットリップ	042		*Nepenthes* 'northiana × truncata'	ノーシアナ×トランカータ	082
Nepenthes ampullaria 'Red' (Old type)	アンプラリア レッド オールドタイプ	041		*Nepenthes* 'Otokuni'	オトクニ	082
Nepenthes ampullaria 'Red' (Ball-shaped)	アンプラリア レッド	040		*Nepenthes* 'Oyanirami'	オヤニラミ	082
Nepenthes 'ampullaria Red × hirsuta'	アンプラリア レッド×ヒルスタ	078		*Nepenthes peltata*	ペルタタ	063
Nepenthes ampullaria 'Singapore'	アンプラリア シンガポール	043		*Nepenthes pervillei*	ペルビレイ	062

Nepenthes 'pervillei × khasiana'	ペルビレイ×カーシアナ	083	Sarracenia 'Catesbaei green'	カテスベイ グリーン	028
Nepenthes 'pervillei × madagascariensis'	ペルビレイ×マダガスカリエンシス	083	Sarracenia 'Excellence'	エクセレンス	028
Nepenthes rafflesiana 'Mardi'	ラフレシアナ マルディ	063	Sarracenia 'Excellence' × unknown	エクセレンス系交配種	029
Nepenthes rafflesiana	ラフレシアナ	063	Sarracenia flava 'All red' (Wistuba)	フラバ オールレッド ウィスツーバ	012
Nepenthes rafflesiana 'Kuching'	ラフレシアナ クチン	064	Sarracenia flava 'Burgundy old type'	フラバ バーガンディ オールドタイプ	013
Nepenthes rafflesiana 'Brunei'	ラフレシアナ ブルネイ	064	Sarracenia flava 'Old type'	フラバ オールドタイプ	012
Nepenthes rafflesiana 'Koshikawa'	ラフレシアナ コシカワ	066	Sarracenia flava var. flava	フラバ フラバ	012
Nepenthes rafflesiana 'Kuching ball-shaped'	ラフレシアナ クチン 丸型	066	Sarracenia flava var. atropurpurea	フラバ アトロプルプレア	013
Nepenthes rafflesiana 'Kuching Damai big'	ラフレシアナ クチン ビッグ	065	Sarracenia flava var. maxima	フラバ マキシマ	013
Nepenthes rafflesiana 'Kuching red'	ラフレシアナ クチン レッド	064	Sarracenia flava var. ornata	フラバ オルナタ	015
Nepenthes rafflesiana 'Kuching tricolor'	ラフレシアナ クチン トリカラー	065	Sarracenia flava var. rubricorpora	フラバ ルブリコルポラ	014
Nepenthes rafflesiana 'Mardi nivea'	ラフレシアナ マルディ ニベア	065	Sarracenia flava var. rugelis	フラバ ルゲリー	015
Nepenthes rafflesiana 'Nivea' (Joseph Yeo)	ラフレシアナ ニベア	065	Sarracenia 'Hakusai'	薄彩	029
Nepenthes ramispina	ラミスピナ	066	Sarracenia 'Hinomaru'	日の丸	031
Nepenthes 'Rapa'	ラパ	084	Sarracenia 'Iimori'	いいもり	030
Nepenthes reinwardtiana 'Bario'	レインワルドティアナ バリオ	066	Sarracenia 'Ise hybrid'	イセタイプ	031
Nepenthes reinwardtiana 'Kuching'	レインワルドティアナ クチン	067	Sarracenia 'Kyodainishiki'	京大錦	032
Nepenthes reinwardtiana 'Sumatra'	レインワルドティアナ スマトラ	067	Sarracenia 'Kyokanoko'	京鹿の子	032
Nepenthes sanguinea 'Cameron highland#1'	サンギネアキャメロンハイランド #1	067	Sarracenia leucophylla	レウコフィラ	016
Nepenthes sanguinea 'Cameron highland#2'	サンギネアキャメロンハイランド #2	068	Sarracenia leucophylla × courtii	レウコフィラ系交配種	032
Nepenthes sanguinea 'Kishino'	サンギネア キシノ	068	Sarracenia leucophylla 'Ise rose'	レウコフィラ イセローズ	016
Nepenthes sanguinea 'Old type'	サンギネア オールドタイプ	067	Sarracenia leucophylla 'Ise white'	レウコフィラ イセホワイト	017
Nepenthes sp. 'Old type'	sp. オールドタイプ	060	Sarracenia leucophylla 'Old type'	レウコフィラ オールドタイプ	018
Nepenthes sp. 'Borneo'	sp. ボルネオ	069	Sarracenia leucophylla 'Turnock' 'Hirose'	レウコフィラ ターノック	017
Nepenthes sp. 'Philippines #1'	sp. フィリピン #1	069	Sarracenia leucophylla 'Yellow flower'	レウコフィラ イエローフラワー	018
Nepenthes sp. 'Philippines #2'	sp. フィリピン #2	069	Sarracenia 'Minata'	ミナータ	033
Nepenthes sp. 'Philippines #3'	sp. フィリピン #3	070	Sarracenia minor	ミノール	019
Nepenthes stenophylla	ステノフィラ	070	Sarracenia 'minor × leucophylla'	ミノール×レウコフィラ	032
Nepenthes sumatrana	スマトラナ	070	Sarracenia minor 'Giant'	ミノール ジャイアント	021
Nepenthes 'T.V.'	T.V.	085	Sarracenia minor 'Green'	ミノール グリーン	021
Nepenthes thorelii	ソレリー	071	Sarracenia minor 'Intermediate type'	ミノール インターメディエイトタイプ	020
Nepenthes 'thorelii × bicalcarata'	ソレリー×ビカルカタ	085	Sarracenia 'Moorei'	モーレイ	033
Nepenthes thorelii 'Ikeda'	ソレリー イケダ	071	Sarracenia 'Nehime'	ねひめ	029
Nepenthes thorelii 'Issei-en type'	ソレリー 一正園	071	Sarracenia oreophila	オレオフィラ	021
Nepenthes tobaica 'Purple'	トバイカ パープル	072	Sarracenia psittacina	プシタシナ	022
Nepenthes truncata (Flat peristome)	トランカータ	073	Sarracenia 'psittacina × rubra'	プシタシナ×ルブラ	033
Nepenthes truncata 'Big' (Issei-en)	トランカータ ビッグ	074	Sarracenia purpurea ssp. purpurea forma heterophylla	プルプレア ヘテロフィラ	022
Nepenthes truncata 'Old type'	トランカータ オールドタイプ	072	Sarracenia purpurea ssp. purpurea	プルプレア プルプレア	022
Nepenthes truncata 'Red type'	トランカータ レッドタイプ	073	Sarracenia purpurea ssp. venosa var. burkii	プルプレア ベノーサ バーキー	023
Nepenthes veitchii 'Bario'	ビーチー バリオ	073	Sarracenia purpurea ssp. venosa	プルプレア ベノーサ	023
Nepenthes veitchii 'Batu Buli' 1500m #1	ビーチー ハイランド #1	073	Sarracenia purpurea ssp. venosa 'Seedling'	プルプレア ベノーサ実生系	023
Nepenthes veitchii 'BatuBuli' 1500m #2	ビーチー ハイランド #2	075	Sarracenia 'Raiden'	雷電	030
Nepenthes ventricosa (Old type)	ベントリコーサ	075	Sarracenia rubra 'Giant'	ルブラ ジャイアント	025
Nepenthes ventricosa 'Long bottle'	ベントリコーサ ロングボトル	076	Sarracenia rubra ssp. alabamensis	ルブラ アラバメンシス	024
Nepenthes ventricosa 'Policepass'	ベントリコーサ ポリスパス	075	Sarracenia rubra ssp. gulfensis	ルブラ ガルフェンシス	024
Nepenthes ventricosa 'Red'	ベントリコ レッド	075	Sarracenia rubra ssp. rubra	ルブラ ルブラ	024
Nepenthes ventricosa 'Red' (Old type)	ベントリコーサ レッド オールドタイプ	076	Sarracenia rubra ssp. wherryi	ルブラ ウェリー	025
Nepenthes vogelii	ボゲリー	076	Sarracenia rubra var. alba	ルブラ アルバ	025
Pinguicula agnata	アグナタ	096	Sarracenia 'Salad Girl #1'	サラダガール #1	034
Pinguicula cyclosecta	シクロセクタ	096	Sarracenia 'Salad Girl #2'	サラダガール #2	034
Pinguicula ehlersiae	エレルサエ	098	Sarracenia 'Tatsunami'	立浪	035
Pinguicula gigantea	ギガンティア	098	Sarracenia 'Unknown old hybrid #1'	オールド交配種 #1	034
Pinguicula 'Gina'	ジーナ	096	Sarracenia 'Unknown old hybrid #2'	オールド交配種 #2	034
Pinguicula jaumavensis	ジャウマベンシス	098	Sarracenia 'Usugesho'	薄化粧	030
Pinguicula 'Marciano'	マルチアノ	097	Utricularia dichotoma	ウトリクラリア ディコトマ	100
Pinguicula moranensis "Caudata"	モラネンシス カウダタ	097			
Pinguicula moranensis 'Huajuapan'	モラネンシス ファファパン	097			
Pinguicula primuliflora	プリムリフロラ	098			
Pinguicula rectifolia	レクチフォリア	097			
Pinguicula 'Sethos'	セトス	099			
Pinguicula 'Pachuca'	sp. パチュカ	099			
Roridula gorgonias	ロリヅラ ゴルゴニアス	094			
Sarracenia alata 'Heavily veined'	アラータ ヘヴィリィ ベインド	010			
Sarracenia 'alata × flava'	アラータ×フラバ	026			
Sarracenia alata 'All red' (Desoto)	アラータ オールレッド	009			
Sarracenia alata forma pubescens	アラータ プベセンス	011			
Sarracenia alata 'Old type'	アラータ オールドタイプ	010			
Sarracenia 'alata red × flava'	アラータ レッド×フラバ	027			
Sarracenia alata 'Vernon Parish'	アラータ バーノンパリッシュ	011			
Sarracenia 'Asaborake'	朝ぼらけ	031			
Sarracenia 'Beniagecha'	紅アゲハ	029			
Sarracenia 'Big white'	ビッグホワイト	027			
Sarracenia 'Catesbaei Doi#1'	カテスベイ ドイ #1	028			
Sarracenia 'Catesbaei Doi#2'	カテスベイ ドイ #2	028			

Index

著者 土居寛文（どい・ひろふみ）
兵庫県立フラワーセンター技師

兵庫県立フラワーセンター技師・花づくり事業課課長。食虫植物に関しては国内屈指の栽培家として知られる。サラセニア、ネペンテスを中心に多くの交配種も作出。日本植物園協会による食虫植物技術者講習の講師を務めるほか、新聞、テレビなど様々なメディアで食虫植物栽培の指導、監修を行う。また関西エリアを中心に、食虫植物を扱ったセミナーを開くなど、幅広く活躍中。

編集・執筆
川端正吾(STRAIGHT)

編集
谷水輝久(双葉社)

アートディレクション
小宮山秀明(STRAIGHT)

デザイン
伊藤正裕(Park it Design)

図鑑写真
本郷淳三

イラスト
三宅瑠人

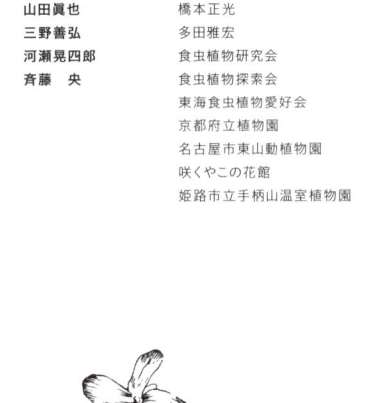

協力
清 絢

さいごに
この本を執筆するにあたり、これまでご協力をいただきました多くの方々に感謝の気持ちを表します。

Special Thanks

越川幸雄	間淵通昭
内藤弘昭	仙田雅晃
岸野正巳	星野映里
岡村正治	小島直樹
田辺直樹	山中博則
林　昌宏	光井孝介
伊藤嘉規	深津康博
山田眞也	橋本正光
三野善弘	多田雅宏
河瀬晃四郎	食虫植物研究会
斉藤　央	食虫植物探索会
	東海食虫植物愛好会
	京都府立植物園
	名古屋市東山動植物園
	咲くやこの花館
	姫路市立手柄山温室植物園

ネペンテスとその仲間たち 食虫植物ハンドブック

2014年11月2日　第1刷発行
2024年8月19日　第5刷発行

著　者　土居寛文(兵庫県立フラワーセンター)
発行者　島野浩二
発行所　株式会社双葉社
　　　　〒162-8540　東京都新宿区東五軒町3番28号
　　　　電話　(03)5261-4818（営業）　(03)5261-4869（編集）
　　　　http://www.futabasha.co.jp（双葉社の書籍・コミックが買えます）

印刷所・製本所　TOPPANクロレ株式会社

落丁、乱丁の場合は送料双葉社負担でお取り替えいたします。
「製作部」宛にお送りください。
ただし、古書店で購入したものについてはお取り替えできません。
電話(03)5261-4822（製作部）

定価はカバーに表示してあります。本書のコピー、スキャン、デジタル化等の無断複製・転載は著作権法上の例外を除き禁じられています。本書を代行業者等の第三者に依頼してスキャンやデジタル化することは、たとえ個人や家庭内での利用でも著作権法違反です。

©Hirofumi Doi 2014
ISBN978-4-575-30746-7 C0076